MIJN GEHEIME PAPA

Van Hilde Vandermeeren verscheen bij Davidsfonds/Infodok:
Het gebroken masker (10+)
Het kistje van Cleo (10+)

HILDE VANDERMEEREN

Mijn geheime papa

Met illustraties van
SYLVIA WEVE

Davidsfonds/Infodok

Vandermeeren, Hilde
Mijn geheime papa

© 2008, Hilde Vandermeeren en Davidsfonds Uitgeverij NV
Blijde Inkomststraat 79, 3000 Leuven
www.davidsfondsuitgeverij.be
Illustraties: Sylvia Weve
Vormgeving cover en binnenwerk: Peer De Maeyer
D/2008/2952/23
ISBN 978 90 5908 257 1
NUR 283
Trefwoorden: familie, gevangenis

De auteur ontving een werkbeurs van het Vlaams Fonds voor de Letteren

1

Elke familie heeft haar geheim. Otto's vader is sterk en hij staat vol tatoeages. Als hij zijn spierballen laat rollen, danst het schip over de golven. De vader van Otto was zeeman. Sinds zijn ongeluk op het schip kan hij niet meer werken. Otto's vader is bang van mensen. Daarom komt hij nooit buiten. Als de bel gaat, krimpt hij in elkaar. Hij kijkt de hele dag naar tv. 'Daar zitten de mensen tenminste veilig in een kastje', zegt Otto. Otto is mijn beste vriend. Zijn moeder is enkele jaren geleden vertrokken. Ik ben de enige die bij hem over de drempel komt. Otto wil zijn vader met weinig mensen delen. Soms is Otto's vader best grappig. Als hij zijn linkerspierbal opspant, lijkt de getatoeëerde dame op een opgeblazen kikker.

Wij hebben ook een geheim. Wij, dat zijn mijn moeder en ik. Ik ben Harm en ik ben elf. Samen met mijn moeder woon ik op een appartement in de stad. Zonder mijn vader. Hij is dood. Tenminste, dat is wat ik iedereen vertel. Maar nu is mijn vader terug. Ik zag hem gisteren aan de overkant van de straat.

2

Ik had mijn vader eerst niet gezien. Otto en ik stonden op de stoep in een winkelstraat. We hadden net een klein meningsverschil, zoals wel vaker gebeurt onder goede vrienden.

'Als je een meisje zoent, moet je je ogen sluiten', hield ik hardnekkig vol. Ik dacht aan Brittany, op wie ik stiekem een oogje had. Er was veel concurrentie. De helft van de klas was op Brittany. Behalve Otto. Die was op niemand. Maar hij beweerde wel alles van zoenen af te weten.

'Ogen open', herhaalde Otto.

'Dicht.'

Otto zweeg en hield zijn hoofd schuin. Dat deed hij altijd als hij diep nadacht. Otto denkt vaak en diep over dingen na. Te vaak en te diep, volgens zijn vader.

'En hoe', begon Otto traag, 'weet je dan zeker of degene die je zoent ook degene is die je wil zoenen?'

Daar moest ik even over nadenken. Dat had je nu met Otto. Hij dacht altijd aan dingen waar niemand aan dacht. Maar dat was geen reden om hem altijd zijn gelijk te geven.

'In films sluiten ze hun ogen', zei ik. 'Dat zou jij toch moeten weten.'

Dat laatste was misschien niet zo aardig van me. Otto hield zijn hoofd nu heel erg schuin. Hij was vast van plan om een zet terug te doen, toen ik hem zag staan.

Mijn vader. Aan de overkant van de straat. Bij een snackbar, onder een bord met daarop een gigantische kip. Het eerste wat mij opviel, was zijn verouderde gezicht. Het haar bij zijn slapen was grijzer geworden. Hij was vermagerd. Misschien had hij in de gevangenis niet genoeg te eten gekregen.

Mijn vader leunde tegen de muur als een licht geknakt rietje. Hij keek me aan zonder iets te zeggen. Ik keek weg. Otto mocht vooral niks in de gaten krijgen.

'Je h-hebt gelijk', zei ik schor tegen Otto.

'Wat?' vroeg hij.

'Dat je beter even gluurt terwijl je zoent', zei ik snel.

Ik gaf Otto een harde vriendschappelijke por en duwde hem daarmee de gewenste richting uit. Otto ratelde nog even door, maar ik hoorde niks van wat hij zei. Het enige wat door mijn hoofd maalde, was het beeld van mijn vader. Ik wist dat hij rond deze periode zou vrijkomen, maar ik had nooit verwacht hem hier te zien. Ik was bang en boos. Heel boos. Wat gaf hem het recht om mijn leven een tweede keer overhoop te gooien?

Toen ik thuiskwam, zweeg ik over mijn vader. Mijn moeder zou het toch niet begrijpen. 'Ga dan toch naar hem toe!' zou ze zeggen. Daar had ik helemaal geen zin in. Ik was nooit met haar mee op bezoek geweest naar de gevangenis. De eerste maanden vroeg ze het, telkens opnieuw, maar ik had altijd wel een reden om niet te gaan. Buikpijn, hoofdpijn, tandpijn, te veel huiswerk, te weinig huiswerk. Mijn moeder gaf het pas op toen ik over varkenspest en vogelgriep begon. Eigenlijk spraken we nooit meer over mijn vader. En dat vond ik goed.

'Waar zijn je natte zwemspullen?' vroeg mijn moeder.

Ik mompelde iets onverstaanbaars en wilde naar mijn kamer. Mijn moeder hield me tegen.

'Ofwel heb je de spullen bij je ofwel zijn ze op school.'

Ik haalde mijn schouders op en liet haar weten dat ik mijn zwemzak vergeten had. Mijn moeder is verkeersagente. 'En zo denkt ze ook', zei mijn vader altijd, voor hij naar de gevangenis ging. Bij mijn moeder is het ofwel rood, ofwel groen en maar zelden oranje. Ze keek dan ook heel afkeurend terwijl ze het had over mijn beschimmelde, stinkende zwemspullen.

Op mijn kamer dacht ik terug aan hoe het allemaal begonnen was. Toen we op een regenachtige meidag langs die rotboerderij met de paardenstallingen reden.

'Omleidingen', zuchtte mijn moeder. 'Ze sturen je naar het einde van de wereld. En dan zijn de wegwijzers op.'

'We raken er wel', zei mijn vader.

Ik vond het niet erg dat we verdwaald raakten. We waren op weg naar familie. Daar hadden ze alleen maar meisjes met poppen en taart zonder slagroom. Ineens ging mijn vader op de rem staan. Ik dacht dat hij een egel platgewalst had, maar hij keek uit het raam. Hij wees naar een boerderij die te koop stond. Het was een groot, wit gebouw met blauwe luikjes en een rood dak, omringd door groene lappen grond. Ik vond het niet eens mooi. Het gebouw stond leeg en er hing een luik te klapperen. Het had iets spookachtigs.

'Herenboerderij met paardenstallingen', las mijn vader op het grote, witte bord in de drassige wei.

Hij legde de motor stil en stapte uit. Mijn moeder ging mee, ik bleef koppig in de auto achter. Ik had twee strips uit voor ze weer opdoken. Mijn vader had rode wangen.

'Hier hebben we toch altijd van gedroomd?' zei hij opgewonden.

Mijn moeder knikte en antwoordde dat het vast veel te duur was. En dat haar schoenen nu vuil waren. 'Maar we kunnen toch informeren?' hield mijn vader vol. Dat wilde mijn moeder zeker doen. Mijn vader reed nog twee rondjes om de boerderij aan alle kanten te zien. Hij stopte, reed achteruit, stopte en reed weer vooruit. Tot ik kotsmisselijk werd en geen zin meer had in taart. De boerderij is sinds die dag niet meer uit zijn hoofd gegaan. Ook niet toen mijn moeder zei dat hij het moest vergeten. De prijs was immers veel te hoog. In het begin dacht ik dat de boerderij hem behekst had. Dat hij daarom die vreselijke dingen had gedaan. Geld achterhouden op de bank waar hij werkte. Mensen vielen voor zijn mooie praatjes. Ze vertrouwden hem grote bedragen toe. Die zou hij voor hen verdubbelen. Mijn vader was er zijn eigen gang mee gegaan om zijn boerderij te kunnen kopen. Hij had het daarna weer willen teruggeven, zei hij. Maar het liep fout en hij raakte al het geld kwijt. Op een dag stond de politie aan onze deur. Ze namen mijn vader mee, hij moest voor twee jaar de gevangenis in en onze wereld stortte in.

Ondertussen zag ik in dat het niet de boerderij was die hem had behekst. Het was zijn eigen stomme schuld geweest. En ook alles wat mij daarna was overkomen. Daarom wilde ik hem, in tegenstelling tot mijn moeder, niet in de gevangenis opzoeken.

Maar mijn vader was vrijgekomen en hij had mij gevonden. Net nu alles goed ging. Die nacht zou ik niet in slaap raken. Dat was de oorzaak van de ramp die de volgende dag plaatshad.

3

'Ik heb een grandioos idee...' begon juf Klaar.

De klas reageerde maar matig enthousiast. Dat had alles te maken met het laatste grandioze idee van juf. Een natuurexploratietocht op zoek naar de Australische brulkikker. Juf Klaar had de kikker opgemerkt in de tuin van haar vriend. Ze wilde ons dit uitzonderlijke beest per se laten zien, samen met enkele vlindersoorten die er rondfladderden en een massa spinnen (geleedpotigen, zoals dat heet, dan klinkt het minder vies). En dus trokken wij erop uit, op een zompige septemberdag. Gewapend met laarzen, fototoestellen, verrekijkers en notablokjes. Het begon mis te lopen tijdens de wandeling. Juf Klaar liep voorop en ze hoorde niks over de uiteenzetting van Anton over hoe dodelijk de Australische brulkikker wel was. Anton is een levende encyclopedie. Ik heb me al dikwijls afgevraagd wanneer hij de tijd vindt om alles op te slorpen. Anton is niet mijn vriend. Eigenlijk heeft hij geen vrienden. Maar we hingen die dag wel aan zijn lippen.

'Ze jaagt ons allemaal de dood in', zei Anton. 'De Australische brulkikker is levensgevaarlijk. De grootste exemplaren kunnen meer dan een kilo zwaar worden. Ze hebben gifklieren waarmee ze een volwassen man kunnen doden. Eén beet is voldoende.'

'Hé, jasses', rilde Brittany en ze nam mijn arm vast.

'Ga verder, Anton, ga vooral verder', spoorde ik hem aan.

'De kikker is afkomstig uit Amerika en werd in 1935 in Australië uitgezet', ging de kleine encyclopedie verder. 'Oorspronkelijk was hij bedoeld om een andere plaag te bestrijden. Ze hoopten dat de brulkikker een keversoort opat. De larven van die kever verwoestten de suikerrietplantages. Maar de

brulkikker rukte op. Honden, mensen, paarden... Niemand is tegenwoordig nog veilig in Australië. En nu is dat beest ook naar hier overgekomen.'

Er viel een stilte. Ik dacht aan de woorden van juf Klaar. Vorige week had ze gezucht, toen er te veel geroezemoes was: 'Soms wilde ik dat ik een kleinere groep had.'

Brittany kneep in mijn arm. Dat vond ik niet eens erg. Zwijgend liepen we achter juf Klaar aan. Niet iedereen was bang.

'Geef die vreetzak gewoon een dreun of schop hem de tuin uit', zei Sneyers. 'Of maak er een tasje van.'

Sneyers was een zittenblijver en de grootste van de klas. We noemden hem altijd bij zijn familienaam. Dat hoorde zo. Otto vindt dat Sneyers veel te weinig nadenkt.

Tegen de tijd dat we bij de tuin (of beter gezegd de halve jungle) aankwamen, was onze stemming gezakt tot diep onder het nulpunt. Juf Klaar deed of haar neus bloedde. Ze antwoordde kort dat de kikker helemaal niet gevaarlijk was. Voetje voor voetje liepen we de verwilderde tuin in. Brittany gilde toen een vogel uit het struikgewas opvloog. En we verstijfden allemaal toen we een vreselijk geluid hoorden. Maar het was enkel het geloei van een koe in een naburige wei. We zagen een paar vlinders en een stuk of duizend geleedpotigen, maar we vonden tot onze opluchting geen spoor van de brulkikker. Tot we ineens rare geluiden hoorden. Het was Sneyers, die achter een boom een brulkikker nadeed. 'Dat is 'm!' schreeuwde Brittany. Een meisje sprong in paniek opzij en verzwikte haar voet. Dat was het moment waarop we de natuurexploratie gestaakt hebben. Juf Klaar kreeg daarna veel boze briefjes en telefoontjes over de gevaarlijke tocht. En toen kwam alles aan het licht. Het was allemaal de schuld van Anton. Hij had de kenmerken van de Australische brulkikker (een braaf brullend beest) verward met die van de giftige reuzenpad. Hij mocht het in de klas komen uitleggen in een uitvoerige spreekoefening. En dat was voor hem niet eens een straf.

Toen juf die morgen dus op de proppen kwam met een nieuw grandioos idee, keken we eerst allemaal de kat uit de boom.

'We gaan met de klas een stuk opvoeren', zei ze.

'Wow, een stuk', zei Sneyers.

'Een toneelstuk', verduidelijkte juf.

'Zoals Shakespeare', wist Anton. 'Dat is een toneelschrijver.'

Juf knikte. 'Ik wil het wel een beetje spannend houden, anders vallen jullie ouders in slaap.'

Het idee dat wij voor onze ouders op de planken zouden staan, zorgde voor opwinding in de klas.

'Ik doe niet mee', protesteerde Sneyers. Misschien wilde hij zijn ouders zijn gestuntel op het podium besparen. Toen kreeg ik het ineens zelf warm. Mijn vader. Ik wilde helemaal niet dat hij naar de opvoering zou komen. Als de klas te weten kwam wie hij was, kon er van alles gebeuren.

Ze konden weer liedjes zingen. Zacht genoeg, zodat juf het niet hoorde. Hard genoeg om mij te raken. *Harms vader is een dief, Harms vader is een dief!* Op school zaten kinderen uit gezinnen die door mijn vader geld hadden verloren. Zoals de buurjongen van mijn beste vriend. Misschien waren zij het die mijn fietsbanden lek staken. Of die ervoor zorgden dat er elke dag iets van mijn spullen zoekraakte. Veel erger vond ik de vriendjes die niet meer langskwamen. De uitnodigingen voor verjaardagen die uitbleven. Ik verloor zelfs mijn beste vriend. Hij heette Jonas en hij had een gezicht vol sproeten. Op een dag nodigde hij me uit voor een carnavalfeestje, nadat hij wekenlang niet tegen me had gesproken. Op de uitnodiging stond dat je verkleed moest zijn. Ik vond het stom, maar was allang blij dat ik mocht gaan. Ik had een oud cowboypak uit de kist gevist. En met mijn zakgeld speciaal een nieuwe hoed gekocht. Toen Jonas de voordeur opendeed, stond de helft van de klas er. Niemand was verkleed. Naast Jonas stond zijn buurjongen. Die nam een foto en zette dat kiekje daarna op internet. Met een tralie ervoor. En ik hoorde hen nog lachen lang nadat ik de straat was uitgerend. Ik ben een week thuisgebleven van school en wilde nooit meer terug. Mijn moeder zei dat ik geen doetje moest zijn. Ze had makkelijk praten. Zij hoorde de liedjes en de misselijke grapjes niet.

Ook thuis werd het een hel. We moesten sloten kopen omdat we ons bedreigd voelden door mensen die hun geld terugwilden. Af en toe werd er 's nachts aangebeld, op de deur gebonsd en geschreeuwd. We vonden dreigbriefjes tussen de ruitenwisser van de auto. Er waren enge telefoontjes. Iemand zei mijn moeder dat hij haar zoon zou weten te vinden. Dat gaf de doorslag. Mijn moeder zocht ander werk en we verhuisden. Dat was anderhalf jaar geleden. Ik vertelde iedereen dat mijn vader dood was. Hoewel mijn moeder het liever anders had gezien, ging ze er niet tegen in. De klas vond het zielig voor me dat ik geen vader had. Brittany had gevraagd of het kwam door een erge ziekte of door een vreselijk ongeluk. Maar voor de rest stelde niemand vragen.

Ondertussen hoorde ik amper hoe juf Sneyers geruststelde: 'Er zijn ook gewone figuranten nodig en mensen achter de coulissen.' Terwijl juf de inhoud van het verhaal vertelde, raakte ik in paniek. Hoe kon ik vermijden dat alles weer van voor af aan zou beginnen? Ik schrok op toen ik Brittany's naam hoorde vallen.

'Brittany wordt dus barones', zei juf terwijl ze iets opschreef in een boekje.

Mijn handen werden klam. Ik moest mijn hoofd erbij houden. Dit was het uitgelezen moment om Brittany te zoenen. Als zij barones was, wilde ik baron zijn.

'Wie wil dan de baron...'

'Ik! Ik!' riep ik, eerst blij en toen verwonderd dat ik de enige van de klas was met mijn vinger in de lucht.

'Dat is ook geregeld', zei juf tevreden en ze noteerde mijn naam.

In de pauze stonden we bij elkaar onder de enige boom van het pleintje.

'Het wordt echt een moordstuk', zei Brittany terwijl ze met haar hand over haar lange bruine haar streek. 'En ik heb de hoofdrol.'

Otto stootte me aan.

'Ik dacht dat jij graag toneel speelde, Harm', zei hij.

'Hoezo?' vroeg ik. 'Ik ben toch baron?'

'Je legt wel na vijf minuten het loodje', zei Sneyers.

'Wat?!'

'Je wordt in het begin van het stuk vermoord', zei Otto ongeduldig. 'Het hele stuk gaat daarover. Juf heeft het toch allemaal uitgelegd?'

Het was de schuld van mijn vader. Hij had van mijn hoofd een rommelzolder gemaakt en daardoor had ik niet gehoord wat juf zei. Nu was mijn kans verkeken om barones Brittany te zoenen.

'Wie is de dader?' vroeg Brittany nieuwsgierig.

'Dat houdt juf nog even geheim tot morgen', zei Naïma. Ze was de stilste van de klas en speelde in het stuk de nicht van de baron. Naïma sprak evenveel op een jaar als Sneyers op een dag.

'Het is de butler', wist Sneyers. 'De butler heeft het altijd gedaan.'

'Er komt helemaal geen butler in voor', zei Anton. Hij was souffleur. Hij fluisterde de teksten in als je niet meer wist wat je moest zeggen. Typisch Anton. Voortdurend laten merken dat hij het beter weet, dacht ik chagrijnig.

Het belsignaal sneed de pauze af. Iedereen bleef druk bezig over het toneelstuk.

'De rol van superdetective is me op het lijf geschreven', zei Otto tevreden.

Terwijl we de klas naar binnen gingen, gaf hij mij een knipoogje: 'Voor mij houdt niemand iets verborgen.'

4

De volgende dag keken we vol spanning uit naar juf Klaar. Ze zou komen zodra de tekst van het stuk uitgeprint was. Onze school was niet groot, maar we hadden wel een leuke zaal met een echt podium en een roodfluwelen gordijn. 's Middags werd die ruimte als eetzaal gebruikt. Brittany beklom het podium.

'De gedachte aan een stampvolle zaal is best wel eng', zei ze.

Ik zag Naïma zachtjes knikken.

'Misschien raakt de zaal niet eens vol', zei Anton. 'Niet alle ouders zullen komen.'

Ik dacht aan Anton. Zijn ouders hadden een goed draaiend reisbureau. Niet iedereen werd zo in de watten gelegd met computers en snoepreisjes. Hij kon maar beter zijn mond houden.

'Wij krijgen twee rijen gevuld', zei Sneyers trots. Ze waren thuis met zeven. En zijn oudste zussen hadden al een kindje.

Ik keek naar Otto. Hij zei niets en keek naar de achterkant van de zaal. Misschien stelde hij zich voor dat zijn vader daar zat.

'Wie is de moordenaar?' vroeg Brittany terwijl ze op en neer wipte. 'Waar blijft juf? Ik kan bijna niet meer wachten.'

Ik ook niet, dacht ik. Ik wilde lezen of ik die eerste vijf minuten nog levend genoeg was om de barones te zoenen.

'En hoe wordt de baron gemold?' zei Sneyers met een lage stem.

Hij nam het koord van het gordijn en sloeg het om zijn hals.

'Gewurgd? Doodgestoken? Van de trap gedouwd...'

'Geduwd', souffleerde Anton.

Achteraan in de zaal kletterde iets op de grond. Brittany gilde het uit. Er stond een vrouw met een mes in haar hand. Ze werd rood.

'Sorry', zei ze. 'Maar ik moet de tafels dekken.'

Gelukkig kwam juf Klaar eraan. De prints waren warm als verse broodjes. We begonnen gretig te lezen. Ik bladerde door de tekst, maar vond nergens een kus, zelfs geen omhelzing.

'Waarom zijn de baron en de barones een vreselijk saai stel?' vroeg ik ontgoocheld.

'Ze zijn uit elkaar gegroeid', antwoordde juf.

Ik bladerde verder en stelde tot mijn ontzetting vast hoe weinig tekst voor mij was weggelegd.

'Misschien ben ik niet echt dood, juf?' smeekte ik.

'Toch wel, Harm.'

'Misschien keer ik terug', probeerde ik wanhopig, 'als een zombie?'

Niemand vond dat een goed idee, behalve Sneyers.

'Heeft iemand al ontdekt wie de moordenaar is?' polste juf.

Naïma stak haar hand half op.

'Ik', zei ze schuchter. 'Ik ben de moordenaar.'

Otto en ik woonden op een boogscheut van school. Meestal gingen we met de fiets, maar Otto's fiets stond vandaag bij de fietsenmaker. We liepen samen naar het drukke kruispunt. Daar moest Otto linksaf en ik rechtdoor.

Otto had het over Naïma. Hij twijfelde eraan of ze het wel zou uithouden op het podium.

'In klas durft ze amper iets te zeggen', zei Otto.

'Niemand zal geloven dat ze de dader is', zei ik.

'Dat is goed voor het stuk', grijnsde Otto. 'Geen kat ziet het aankomen, tot deze superdetective alles opheldert en...'

Ineens verstarde Otto. Hij draaide zich met zijn gezicht naar de dichtstbijzijnde etalage.

Verbaasd bleef ik staan. 'Wat...?'

'Doe normaal. Doe alsof je naar de winkel kijkt', siste Otto.

Ik snapte er niks van. Maar ik deed wat Otto vroeg en bestudeerde aandachtig de vrouwelijke lingerie van de onthoofde poppen in de etalage voor ons.

'We worden achtervolgd', fluisterde Otto. 'Die kerel stond daarnet aan de schoolpoort. Ik vond het toen al vreemd. Dat ongure type hield niet op met jou aan te staren. En nu loopt hij de hele tijd achter ons aan.'

Ik kreeg een vreselijk voorgevoel. Voorzichtig keek ik opzij. Voor de etalage van een krantenwinkel zag ik mijn vader staan.

'Je overdrijft, Otto', zei ik. 'Dat komt omdat je een detective speelt ...'

Otto luisterde niet eens. Hij greep me bij de arm en sleurde me over de stoep.

'Doorstappen.'

Ik kon niet anders dan hem volgen. Ons snelwandelen werd rennen. We liepen de winkelstraat uit. Bij het kruispunt sloegen we rechtsaf.

'Om hem op een dwaalspoor te brengen', wist Otto.

Even later stonden we hijgend voor de deur van Otto's huis. Mijn vader was nergens meer te bekennen.

'We hebben hem afgeschud. De kinderlokker', zei Otto opgelucht.

Het deed pijn. Maar ik vond geen woorden om Otto uit te leggen waarom, zonder mijn vader te verraden.

Otto keek naar links en naar rechts en stak de sleutel in het slot.

'Niks aan pa vertellen', zei Otto. 'Anders wordt hij zo ongerust dat ik de deur niet uit mag. Als die vent nog één keer opduikt, verklap ik het wel. Dan gaan we naar de politie.'

'P-politie?'

Otto knikte. We stonden in de gang van het kleine rijhuis. Zoals altijd kon ik de televisie in de woonkamer horen spelen. We wurmden ons door de smalle gang, langs de bestofte brommer van Otto's vader en een stapel dozen oud krantenpapier. Otto gooide zijn rugzak onder aan de trap neer, liet zijn vader weten dat hij thuis was en rende naar boven.

'We hebben veel te doen', zei Otto.

5

'Je overdrijft', zei ik voor de derde maal tegen Otto. Het voorbije uur was hij druk in de weer geweest. Eerst had hij een eeuwigheid nagedacht. Daarna was hij naar beneden gerend en teruggekomen met plakband, oude kranten, een voetbaltoeter en een spiegeltje van de brommer.

'Wat zal je vader daarvan zeggen?' schrok ik.

Otto haalde zijn schouders op.

'Hij merkt het niet eens, die brommer gebruikt hij toch niet meer.'

Otto bevestigde het korte stokje van de spiegel met plakband aan een krant. Hij duwde de krant in mijn handen.

'Als je zo over straat loopt, kun je in het spiegeltje kijken of je gevolgd wordt of niet', zei hij trots. 'Het is net alsof je al wandelend de krant leest, snap je?'

Door het gewicht van de spiegel zakte de krant in elkaar.

'Fantastisch', kon ik uitbrengen. Ik vouwde de krant dicht.

'Dat is nog niet alles', ging Otto verder. Hij nam de voetbaltoeter en duwde het hendeltje naar beneden. Het enorme geluid deed de haartjes op mijn arm overeind komen.

'Dit is een alarm', verduidelijkte Otto. 'Stop het in je boekentas. Als je in gevaar verkeert, dan...'

Hij demonstreerde het nog een keer. Het klonk als een uitzinnig koor Australische brulkikkers.

Ik liet me op Otto's bed neerzakken.

'Denk je nu echt dat die...die kerel achter me aan zit?' vroeg ik in een poging om hem op andere gedachten te brengen.

Otto knikte overtuigd.

'Hij keek voortdurend naar jou, niet naar mij.'

Otto zag te veel. Als Sneyers mijn vriend zou zijn, was er

niets aan de hand geweest. De deur ging open en Otto's vader
stak zijn hoofd naar binnen. Otto en zijn vader leken helemaal
niet op elkaar. Zijn vader had roodbruin krullend haar, dat via
lange bakkebaarden verbonden was met een warrige baard. In
zijn linkeroor zat een ring. Otto had ravenzwart haar, dat zijn
vader altijd keurig knipte. Sinds een jaar droeg ik mijn blonde
haar halflang, tot grote ergernis van mijn moeder. Maar ze liet
het toe. Omdat ze de reden kende. Voor mijn vader naar de
gevangenis ging, kreeg ik altijd te horen hoe sterk ik op hem

leek. Kortgeknipt blond haar, lichtblauwe ogen, nette kleren. Ik wilde niet op een dief lijken, daarom droeg ik mijn haar nu halflang. Ik kocht baggy broeken die zo ruim zaten dat mijn broek een keer is afgezakt.

'Hallo', groette Otto's vader. 'Hangt er voetbal in de lucht?'

'Nee', antwoordde Otto terwijl hij het spiegeltje onopvallend onder de krant schoof. 'We zijn bezig met een toneelstuk voor school. Ik ben de detective. De ouders zijn uitgenodigd.'

Dat laatste klonk als een vraag. Het bleef even stil.

'Leuk voor hen', zei Otto's vader. 'Ik ga maar eens naar beneden.'

Hij draaide zich om.

'Het is donderdag, Otto.'

Otto knikte. Op dinsdag en donderdag maakte Otto altijd eten klaar. De andere dagen van de week nam zijn vader voor zijn rekening. Op die manier miste hij geen afleveringen van zijn favoriete soap.

Even later stond ik met Otto in de keuken. Otto had de aardappelen geschild en de tomaten in stukken gesneden. Hij haalde twee hamburgers uit de koelkast. Bij Otto en zijn vader kwam er nooit vis op tafel. 'Uit principe', zei Otto's vader ooit tegen mij. 'Ik eet geen vis die ik niet zelf gevangen heb.'

'Ik ga maar eens', zei ik.

Toen ik de voordeur opendeed, hoorde ik Otto mijn naam roepen. Hij kwam op me afgestormd.

'Je vergat je spiegelkrant!' riep hij verontwaardigd.

'Sorry', zei ik. En ik stopte de krant voorzichtig bij de voetbaltoeter in mijn rugzak.

Toen ik thuiskwam, lag er een brief in de hal. Iemand moet hem onder de deur geschoven hebben. Ik hoorde mijn moeder in de keuken bezig.

Het was een grote witte enveloppe. Op de voorkant stond enkel mijn naam in grote letters. Geen adres. Geen postzegel.

Mijn handen trilden toen ik de enveloppe nam. Ik scheurde hem open.

De grond zakte onder mijn voeten weg, toen ik las wat er stond.

IK WIL JE ZIEN.
KOM ZATERDAGVOORMIDDAG NAAR DE BIEB.

PAPA

Mijn moeder deed de deur open.

Ik vouwde de brief dicht en stopte hem in mijn broekzak.

'Is er iets?' vroeg ze.

'Bijlange niet', zei ik.

6

'Ik heb er lang aan gewerkt', fluisterde Otto de volgende morgen in de klas. Hij duwde een blad in mijn handen. Sinds een week zat Otto dicht in mijn buurt, aan de overkant van het gangpad. Juf had al een paar keer gezegd dat dat niet lang meer zou duren.

Ik vouwde het papier open. Mijn vader staarde mij aan. Zijn ogen waren niet gelijk, zijn neus was te scherp, zijn wenkbrauwen zaten iets te hoog en zijn uiterlijk had iets boosaardigs. Maar los daarvan was het een potloodschets van mijn vader.

'Een robotfoto!' zei Otto.

'Wat heb je daar, Harm?' hoorde ik juf Klaar vragen. Ik voelde het bloed naar mijn hoofd stijgen en propte het blad snel in mijn rugzak.

'Mijn tekst voor het toneel, juf', loog ik.

'Die paar lijntjes?' zei Anton achter mij. 'Zelfs ik ken die al uit mijn hoofd.'

Ik kreeg zin om Anton in de souffleurbak te duwen.

Juf besteedde gelukkig geen aandacht meer aan het voorval. Ze vroeg iedereen om de tekst te nemen, zodat we het stuk eens konden oefenen. Sneyers had geen tekst. Hij was de begrafenisondernemer. Op het einde van mijn korte optreden moest hij mij in een kist van het podium halen.

Ik dacht koortsachtig na terwijl we naar de zaal liepen. Otto had een schets van mijn vader gemaakt. Alleen wist hij niet dat het mijn vader was. Dat moest zo blijven. En ik moest vermijden dat mijn vader in mijn buurt opdook. Dan zou de superdetective zijn onderzoek vanzelf staken. Mijn onrust zakte geleidelijk aan weg. Ik besloot te doen alsof mijn vader niet bestond. In geen geval zou ik naar de bieb gaan. Mijn vader zou de kans niet krijgen mijn leven binnen te dringen, laat staan dat hij naar het toneelstuk kwam kijken. Hij zou niet eens weten dat er een toneelstuk was.

'Nog een klein detail', zei juf Klaar. 'Jouw hoofd komt op de affiche, Harm. Jij wordt tenslotte vermoord.'

Het kon niet erger. Het ontwerp van de affiche vermeldde datum, plaats en uur. Onder de titel kwam een grote foto van de baron. Juf hield voet bij stuk. Zelfs na lang aandringen van Brittany, gesteund door Sneyers. Allebei vonden ze dat de wulpse barones op de foto moest en niet de dode baron. De affiche, die overal in de stad zou hangen, was een rechtstreekse uitnodiging aan mijn vader. De kans was groot dat hij mij wilde zien spelen, nu hij vrij was. En als hij die bewuste avond zou opduiken, zou Otto hem herkennen. Zelfs zonder de ro-

botfoto. Otto zou alarm slaan en alles zou uitkomen. En ik zou opnieuw door een hel gaan.

Juf deelde een overzicht uit van de oefensessies. Ze zouden op woensdagnamiddag gehouden worden.

'De souffleur moet altijd aanwezig zijn', deed Anton gewichtig. 'We lopen vandaag eens door het hele stuk', zei juf. 'Neem je tekst, leef je in en luister naar de tips.'

'En ik?' vroeg Sneyers.

'Jij oefent je doodgraversgezicht', zei juf ernstig. 'Dat is ook heel belangrijk.'

Toen Sneyers gekke bekken trok achter de rug van juf, kreeg ik weer hoop. Misschien bleek tijdens de oefensessies dat het hele stuk een flop werd. Misschien vergaten enkelen hun tekst. Of waren hun acteerprestaties om te huilen. Op die manier zou juf niet anders kunnen dat het hele stuk af te blazen.

Ik luisterde heel aandachtig terwijl de anderen hun teksten lazen. Als je dood bent, heb je alle tijd van de wereld.

De eerste die mijn hoop wegnam, was Anton. Met een souffleur als hij, die de woorden van elk personage mee kauwde alsof het een heerlijk toetje was, kon niemand uit zijn rol vallen. De tweede die mijn hoop op mislukking de grond inboorde, was Naïma.

Toen zij haar eerste tekstlijnen las, staarden we haar met open mond aan.

Van wie was die koele stem, waardoor de schichtige Naïma verdween en de hebzuchtige nicht van de baron in de plaats kwam? Hoe slaagde een grijze muis als Naïma erin om ons te doen geloven dat zij een op de erfenis beluste gifmengster was?

'Ik hou je in de gaten', las detective Otto, waarbij hij net iets te veel met zijn ogen draaide volgens juf.

'Kijk maar uit', antwoordde de gifmengster gevaarlijk. 'Niemand weet waartoe ik in staat ben.'

Toen de laatste scène erop zat en Otto de gifmengster geklist had, barstte een spontaan applaus los. Het was een bangelijk goed stuk. De kans dat het vroegtijdig afgevoerd zou worden, was uiterst klein geworden.

Op de terugweg naar huis gaf ik Otto zijn tekening terug. Hij was een beetje boos omdat ik mijn spiegelkrant niet bij me had. Ik zwaaide nog even en sloeg daarna de weg naar huis in. Toen ik thuiskwam, botste ik bijna tegen mijn moeder op. Haastig kwam ze uit haar slaapkamer. Ze droeg haar bruine haren in een staart, had witte tenniskleren aan en frunnikte aan haar oorbellen terwijl ze een racket onder haar oksel geklemd hield. Een paar keer per week sloeg ze een balletje met een bevriende collega. De sfeer op het werk beviel haar uitstekend. 'Ik wil hier nooit meer weg, Harm', had ze me vorige week toevertrouwd.

'Ik ben een beetje laat', zei ze terwijl ze me voorbijflitste. 'Hoe was het op school?'

Ik zocht een reep chocola. De telefoon ging. Tegelijk belde iemand aan.

'Daar is Tessa. Neem jij op, Harm?' vroeg mijn moeder terwijl ze op het knopje duwde om haar vriendin beneden binnen te laten.

Ik had net een halve reep in mijn mond, toen ik opnam. Ik hoorde niks.

'Whallo', zei ik terwijl ik de chocola doorslikte.

Weer niks.

'Hallo', probeerde ik nog eens. Mijn moeder kwam de woonkamer binnen, druk pratend met Tessa. Ze hadden het over de burgemeester, die door mijn moeder op de bon geslingerd was voor fout parkeren.

'Harm?'

De stem van mijn vader klonk akelig dichtbij, alsof hij mijn naam in mijn oor fluisterde. Ik kreeg het ijskoud. Zo snel ik kon, haakte ik in.

'Verkeerd verbonden', zei ik tegen mijn moeder.

7

De nacht lag als een verstikkend deken over me heen. Morgen was het zaterdag. Morgen wachtte mijn vader me op in de bibliotheek. Hij zou lang mogen wachten. Hij zou alle boekenrekken kunnen uitlezen. Want ik was niet van plan om te gaan. Ik gooide me op mijn andere zij. Mijn vader kwam steeds dichterbij. Hij wist nu al waar ik woonde en waar ik naar school ging. Ons telefoonnummer had hij ook. Ik begon te zweten.

Uiteindelijk viel ik in slaap en ik ontmoette mijn vader eerder dan verwacht in een vreselijke nachtmerrie.

Ik zat in de klas. Otto bevond zich aan de overkant van het gangpad, maar hij leek verder weg dan ooit. Juf stond vooraan, ze keek heel ernstig. Achter haar hing een tekening op het bord. Ze deed een stap opzij.

'Wie is deze man?' vroeg ze.

Otto's robotfoto hing vooraan in de klas. Boven de schets stond in grote letters: GEZOCHT.

'Hij is heel gevaarlijk', zei Otto.

'Hij heeft de kop van een killer', zei Sneyers, waarop Brittany begon te huilen.

'We moeten uitvinden wie die kerel is', zei Otto, terwijl hij zijn handen als een echte detective onder zijn kin legde. 'Hij hangt in deze buurt rond. Iemand moet toch iets over hem weten?'

Juf Klaar keek me doordringend aan. Toen werd er geklopt. Traag ging de deur open. Daar stond mijn vader. Hij leek als twee druppels water op de robotfoto. Het werd muisstil in klas. Mijn vader liep naar mijn tafel.

'Ik moest je hier wel opzoeken, jongen', zei hij. 'Je kwam niet naar de bieb.'

'Het is zijn vader, die kerel is zijn vader', werd er gefluisterd. En toen begon het zingen. Het was anderhalf jaar geleden, maar het klonk even erg als toen. Eerst zacht en toen steeds harder: 'Harms vader is een dief, Harms vader is een dief!'

Ik werd trillend wakker. Mijn bed was een puinhoop. Het was vijf uur in de ochtend. De nachtmerrie had mijn plannen gewijzigd. Ik zou naar de bieb gaan. Ik had geen keuze. Het was de enige manier waarop ik mijn vader duidelijk kon maken dat hij voorgoed uit mijn leven moest verdwijnen.

Bij het ontbijt vertelde ik mijn moeder dat ik even bij Otto langs zou lopen. Ik sprong op mijn fiets en reed weg. De ochtendnevel was nog niet volledig opgetrokken. De geur van de herfst steeg op uit de natte bladeren die in het stadspark verspreid lagen. Ik had deze ochtend nauwelijks iets naar binnen gekregen. Mijn moeder had bezorgd gevraagd of ik me niet lekker voelde.

Ik parkeerde mijn fiets en ging de bibliotheek binnen.
De eerste die ik zag, was Anton. Hij had een kanjer van een boek vast.

'Binnenkort maak ik met mijn ouders een citytrip naar Londen', zei hij. 'Kijk, dit is het wassenbeeldenmuseum van madame Tussaud.'

Ik wenste dat Anton daar bijgezet kon worden. Dan was ik voorgoed van hem verlost. Ik liet hem weten dat ik nu geen tijd had en hoopte dat hij snel de bibliotheek zou verlaten. Maar Anton nestelde zich met een stapel boeken boven in de leeshoek.

De bibliotheek was ruim en had twee verdiepingen. Ik liep tussen de rekken door. Nergens zag ik mijn vader.

Ineens tikte er iemand op mijn schouder. Ik draaide me om. Nu mijn vader zo dichtbij stond, merkte ik dat hij minder goed op de robotfoto leek dan ik dacht. Mijn vaders gezicht stond vol rimpels, zijn ogen waren diep droefgrijs en de trek om zijn mond was niet zo grimmig als die op de robotfoto.

We keken elkaar aan zonder iets te zeggen.

Mijn vader stelde voor om in de leeshoek te zitten.

'Ik blijf liever hier', antwoordde ik.

Mijn vader knikte.

'Ik weet dat het niet makkelijk voor je geweest is, Harm', begon mijn vader.

Mijn buik trok samen.

'Je weet helemaal niks', zei ik. 'Je hebt er geen idee van wat ik doorgemaakt heb, terwijl jij lekker rustig in de gevangenis zat.'

Ik vertelde hem alles. Over de liedjes, de pesterijen en de bedreigingen.

Mijn vader knipperde even met zijn ogen.

'Ik heb een fout gemaakt', zei hij. 'En dat kan ik niet uitwissen. Maar ik heb mijn straf uitgezeten. Geloof me, ik heb nooit gewild dat jij ook moest boeten.'

Een oude dame naderde. Ze speurde even tussen de rekken en verdween.

'Ik wil dat je mij met rust laat', fluisterde ik tegen mijn vader. 'Volg me niet langer. Ik wil dat je weggaat, anders begint alles opnieuw.'

Mijn vader wilde zijn hand op mijn schouder leggen, maar ik deed een stap achteruit. De hand bleef hulpeloos in de lucht hangen en zakte toen naar beneden.

'Ik huur tijdelijk een studio in het centrum', zei mijn vader. 'Maar ik zal je niet lastigvallen.'

Hij stak zijn hand in zijn jas en haalde er een dikke enveloppe uit.

'Ik weet dat je mijn brieven niet hebt gelezen. In de gevangenis heb ik een soort dagboek voor je bijgehouden.'

Ik nam de enveloppe niet aan.

'Misschien kun je het bewaren, voor later', zei mijn vader.

Mijn vaders handen beefden. Uit mijn ooghoek zag ik Anton de trap afkomen.

Ik nam de enveloppe en stopte hem snel in mijn binnenzak.

'Dag pa', zei ik zonder mijn vader aan te kijken.

'Dag, jongen.'

Ik rende de bibliotheek uit.

8

Thuis gooide ik mijn jas over de bank en zette de tv aan. Elk programma was goed om de ontmoeting met mijn vader uit te wissen. Ik was naar huis gefietst alsof de duivel me op de hielen zat. Mijn verhitte hoofd stond op ontploffen. Ik had vreselijk veel zin om iets kapot te maken. Een verkeersbord, mijn schoolagenda, de spuuglelijke vaas op het aanrecht. Ik hield me in. Niemand mocht iets merken.

Mijn moeder dook ineens voor me op.

'Hoe was het bij Otto?' vroeg ze.

Haar stem klonk anders dan gewoonlijk.

'Goed.'

'Wat hebben jullie gedaan?'

'Rondgehangen en naar muziek geluisterd.'

Op tv werd hard gelachen. Mijn moeder nam de afstandsbediening en zette het ding uit.

'Vraag dan gewoon of het stiller kan', zei ik en ik wilde de tv weer aanzetten.

Mijn moeder ging vlak voor het scherm staan. Ze keek me aan met de blik van een omroepster die het einde van de wereld aankondigde.

'Je was deze voormiddag niet bij Otto', zei ze.

Ik deed mijn mond open en weer dicht. Op de eerste verdieping werd een deur hard dichtgeslagen.

'Otto kwam een halfuur geleden langs', zei mijn moeder. 'Hij had je iets belangrijks te vertellen.'

Stomme Otto.

'Je was niet bij hem', zei mijn moeder terwijl ze bleef staan. 'Waar was je dan wel, Harm?'

De als moeder gecamoufleerde politieagente zou niet opgeven voor ze een afdoend antwoord kreeg.

'Maak je niet druk, ma. Ik had zin om eerst een blokje om te rijden, ik ga zo meteen wel naar Otto.'

Ik stond op.

'Je doet zo vreemd, Harm', zei mijn moeder. 'Vanochtend heb je nauwelijks gegeten. Je bent bleek en je hebt kringen onder je ogen.'

Ze deed een stapje dichterbij.

'Je vertelt me nooit iets', zei ze. Het klonk een beetje wanhopig. Ze wachtte even. 'Zit je aan de drugs, Harm?'

Ik schrok zo hevig dat het leek of ik me betrapt voelde.

'Daar ben je!' lachte Otto toen hij de deur voor me opendeed. 'Je moeder had je bijna als vermist opgegeven!'

Hij sleurde me enthousiast naar binnen.

'Harm is hier', zei hij tegen zijn vader.

Otto's vader keek nauwelijks op. Hij had een zakdoekprop in zijn handen terwijl hij naar het scherm staarde.

'Ze gaan eindelijk trouwen', snifte hij.

Ik volgde Otto naar zijn kamer.

'Wat was er nu zo dringend?' vroeg ik.

'Dit!' zei Otto terwijl hij een gloednieuw mobieltje in de lucht stak. 'Ik heb er lang voor moeten sparen.'

'Leuk voor jou', zei ik.

'Nee, voor jou', antwoordde Otto. 'Nu kan ik kiekjes nemen van die kinderlokker. Dan heb ik een bewijs voor de politie.'

Binnen in mijn hoofd begon iemand met een klein venijnig hamertje te timmeren. Otto stond op het punt om de identiteit van mijn vader te ontrafelen. Het was een kwestie van een paar dagen eer alles zou losbarsten.

'Ik blijf in je buurt', ging Otto verder. 'Zodra die kerel opduikt, leg ik hem vast.'

Terwijl Otto maar bleef doorratelen over bewijzen en fotokopieën die hij in school zou uitdelen, zocht ik naar een manier om zijn plan te dwarsbomen. Otto dacht dat hij een detective was. Dat kon ik niet veranderen. Otto dacht ook dat hij mijn vriend was. Dat kon ik wel veranderen.

'Ik vind het nogal stom', zei ik tegen Otto.

Otto bleef steken halfweg zijn zin. Zijn wenkbrauwen gingen de hoogte in. Wij hadden nooit eerder iets stom gevonden aan elkaar. Niet toen Otto met zijn skeelers van de trap stuiterde en zijn neus brak. Niet toen ik eens per ongeluk het brandalarm van onze lift in werking had gezet. En niet toen we om het hoogst in een boom klommen en Otto niet meer naar beneden durfde.

'Jij vindt je eigen ideeën altijd zo briljant', ging ik verder. 'Zoals dat pokkeding met de spiegel.'

Otto stond recht.

'Ik wil niet dat we nog samen naar school fietsen, Otto. Eigenlijk wil ik je vriend niet meer zijn.'

De tranen sprongen Otto in de ogen. Onze vriendschapsband was bijna stuk. Nog een laatste rukje.

'Misschien ben jij wel net zo geflipt als je vader', zei ik. 'Geen wonder dat je hem voor iedereen verbergt.'

Otto sloeg met zijn vuist tegen de wand.

'Ik heb tenminste geen moeder die iedereen op de bon slingert!' schreeuwde Otto.

'Iedereen, behalve je vader!' riep ik. 'Die kan niet eens boetes krijgen, want die komt zijn bank niet af!'

Otto's ogen waren donker van woede.

'Eruit!'

Ik voelde me misselijk terwijl ik de trap afdenderde en naar huis fietste. Rotzak, zei ik tegen mijn spiegelbeeld in de winkelruiten. Rotzak, rotzak. Maar alles zou in orde komen. Otto zou niet langer foto's nemen om zijn vriend te beschermen. Want hij had geen vriend meer.

Dat was maar voor even. Want na een tijdje zouden we het weer bijleggen, zodra mijn vader elders woonde. Hij was hier maar tijdelijk. Een paar maanden ruzie met Otto waren nog altijd beter dan de hel.

Thuis wachtte mijn moeder me op. Ze had de opengescheurde enveloppe van mijn vader in haar handen.

9

'Dus daarom doe je zo vreemd', zei mijn moeder. Het klonk haast opgelucht. Ze ging zitten. 'Je hebt je vader gezien.'

Ik knikte kort.

Mijn moeder zei een tijdje niks.

'Hij achtervolgt me en hij belt me op', zei ik.

'Dat wist ik niet', zei ze. 'Ik had hem nochtans gezegd dat je meer tijd nodig had.'

'Ik heb helemaal geen tijd nodig', zei ik. 'Ik wil hem gewoon niet meer zien. Nooit meer.'

Mijn moeder keek naar de brief in haar handen.

'Daar was hij al bang voor.'

'Waarom kom jij toch altijd voor hem op?' vroeg ik.

In een hulpeloos gebaar liet ze de brief zakken.

'Wat hij schrijft, is waar. Hij is altijd een goede vader geweest.'

We zaten zwijgend aan tafel. Ik prakte mijn koude erwten tot een wansmakelijk groen hoopje dat erom smeekte om niet opgegeten te worden.

'Toen je geboren werd, begon je niet direct te ademen', zei mijn moeder. 'Iedereen was in paniek. De vroedvrouw, de dokter. Alleen je vader niet. Hij nam mijn hand en zei dat alles in orde zou komen.'

Ik wilde dit niet horen.

'Hij was degene met wie je je eerste stapjes zette, degene die je leerde fietsen. Hij had veel meer geduld dan ik. Een half jaar lang holde hij elke avond op straat achter je fietsje aan, met een borstelsteel in zijn handen, zodat je niet kon vallen.' Mijn moeder glimlachte. 'Een half jaar lang...'

Met een snel gebaar veegde ik langs mijn mond en legde mijn bestek neer.

'Het eerste woordje dat je zei was...'

'Laat me raden', zei ik scherp. 'Papa?'

'Nee,' antwoordde mijn moeder, 'het was *mama*. Maar zonder dat ik het wist had je vader je eerste woordje op band vastgelegd. Hij gaf me de opname cadeau op moederdag. Het was het mooiste geschenk dat iemand me ooit heeft gegeven.'

Ik wilde weg.

'Toen je voor het eerst met de padvinders op kamp was, heeft hij die nacht geen oog dichtgedaan. Ik kon hem er nog net van weerhouden om de volgende dag toevallig op bezoek te komen. Hij wilde met zijn eigen ogen zien of alles goed met je ging.'

Mijn stoel viel om toen ik opstond.

'Als hij zo'n goede vader was,' vroeg ik, 'waarom heeft hij dan mijn leven verknald?'

Aan mijn bureau worstelde ik met mijn huiswerk Franse woorden. Ik vertikte het om *père* te schrijven. Daarnet had ik het gesprek afgebroken. Een gesprek waarvan mijn moeder zei dat het al veel eerder had moeten gebeuren.

Ik scheurde een blad af en besloot een lijst te maken van alle nare herinneringen aan mijn vader. Die zou ik onder mijn moeders neus duwen.

1. *Ik kan hem niet vertrouwen.*
   Hij heeft me altijd geleerd om nooit te stelen. Maar zelf deed hij het wel.
2. *Hij dwingt me allerlei smerige klusjes op te knappen!!!* (Maar ik krijg er wel zakgeld voor.)
   Die drie uitroeptekens waren volledig terecht. Mijn vader

vroeg me bijvoorbeeld om vieze rotte bladeren van de straat te rapen, verdwaalde hondendrollen uit onze tuin te scheppen en om zijn auto te wassen (en die was echt héél héél smerig). Maar ik kreeg er wel steeds zakgeld voor. Mijn ouders hadden er zelfs ruzie door gekregen. Mijn moeder vond dat ik die karweitjes moest opknappen zonder een cent te krijgen. Mijn vader had gewonnen. Met het gespaarde geld had ik een gameboy gekocht.

3. Hij wil altijd winnen.

Dat was een goeie. Misschien moest ik die maar bovenaan mijn lijst zetten. Want mijn vader wilde altijd winnen. Voetballen in de tuin, racen met de fiets, meespelen met een quiz voor de slimste mens op aarde, record kroketten eten (tot ergernis van mijn moeder), om het langst je adem inhouden (tot schrik van mijn moeder). Altijd wilde mijn vader winnen. Dat vond ik heel erg vervelend. Want eigenlijk wilde ik de eerste zijn.

Er stonden amper drie dingen op mijn blad. Maar op de een of andere manier maakte het opstellen van het lijstje me heel verdrietig. Door het raam zag ik jongens voetballen op het pleintje. Op mijn bed lag de gameboy.

Ineens wist ik waarom ik me zo rot voelde. Ik keek naar mijn lijstje. Reizen, samen voetballen, kroketten eten tot je barst. Mijn vader had het allemaal van me afgenomen door in de gevangenis te zitten.

Ik zette een punt achter mijn lijstje. Zo hard dat mijn potlood afbrak.

10

De volgende dagen deden Otto en ik op school of we lucht waren voor elkaar. Dat was niet makkelijk. Otto leek overal. Zelfs al zat hij in klas niet meer in mijn buurt. Hij had gevraagd om vooraan te zitten, tot grote verbazing van juf Klaar. Sneyers zat nu aan de overkant van het gangpad. 's Ochtends had ik mijn fiets niet naast die van Otto geparkeerd. In de eetzaal zaten we zo ver mogelijk van elkaar vandaan. Otto deed hard zijn best om te laten zien hoe prettig het leven was zonder mij. Hij lachte zo luid mogelijk om elke grap. In de pauze deelde hij zijn snoep rijkelijk met Sneyers in plaats van met mij. Otto probeerde tevergeefs om Brittany aan de haak te slaan. Dat laatste vond ik niet erg. Veel erger vond ik de manier waarop Otto naar me keek toen onze blikken elkaar toevallig kruisten. Het was de blik van een trouwe hond die niet begreep waarom hij door zijn baasje uit de auto was gegooid.

In een opwelling wilde ik Otto vertellen waarom ik al die lelijke dingen had gezegd. Maar ik deed het niet. Mijn vader moest en zou achter de zijlijn blijven, zo onzichtbaar mogelijk.

In de pauze kwam Otto in de jongenstoiletten vlak naast me staan. Ik kon niet anders dan de stilte verbreken.

'Otto', zei ik krampachtig. 'Je weet dat ik niet kan plassen als er iemand vlak naast me staat.'

Otto zei niks. Zo te horen had hij er geen last van. En ik moest echt wel hoognodig.

'Toe, Otto', smeekte ik.

Geen reactie.

Otto nam alle tijd van de wereld om zijn broek dicht te ritsen. De bel ging. Otto verroerde geen vin.

'Ga weg, Otto!' riep ik.

Sneyers kwam binnen.

'Hier is een plaatsje vrij', wees Otto vriendelijk tegen Sneyers voor hij de toiletten verliet.

De klas stond vol oude spullen, doeken en kisten. We legden de laatste hand aan het decor en de attributen voor het toneelstuk. Vrijdagmiddag kregen we lummelles (zo noem ik de knutselles). Sneyers lummelde nog harder dan ik.

'Zullen we eens kijken of ie past?' geeuwde hij.

'Wat past?'

'De kist voor de dooie', antwoordde Sneyers ongeduldig.

Hij wees naar een houten doodskist die vooraan in de klas stond. Met tegenzin liet ik me erin neerzakken. De kist was alleen groot genoeg als ik mijn benen introk. Een splinter boorde zich onder mijn vingernagel.

'Mijn vinger bloedt en ik wil een hoofdkussen', zei ik.

'Waarom?' vroeg Sneyers. 'Je bent toch dood.'

Terwijl ik hem hoorde gieren om zijn eigen mop, werd het deksel op de kist gelegd. Alles werd zwart. Ik had het gevoel dat ik niet meer kon ademen en ik wilde eruit. Maar ik kreeg het deksel niet omhoog. Iemand zat met zijn volle gewicht op de kist.

Ik begon te roepen en te bonzen. Juf Klaar was enkele minuten daarvoor de klas uitgegaan op zoek naar goudverf voor Brittany's juwelen.

'Haal me eruit!' riep ik boos. 'Dat spelletje heeft lang genoeg geduurd, Sneyers.'

'Ik heb er niks mee te maken, Harmpie!' hoorde ik hem roepen.

Ik duwde tegen het deksel. Het ding bewoog, maar niet voldoende om me te bevrijden. Ik liet het deksel enkele tellen los om uit te blazen. Nog een laatste poging. Met alle macht zette ik mijn handen tegen het deksel. Het onbekende gewicht was verdwenen zonder dat ik het had gemerkt. Het deksel ging onmiddellijk omhoog en kwam met een klap op de vloer terecht. Enkele leerlingen keken verstoord op, maar gingen dan weer aan het werk. Juf Klaar was nog steeds niet terug.

Ik stond te trillen op mijn benen. Sneyers keek geamuseerd toe.

'Het was zijn idee', lachte Sneyers met een hoofdknik naar achter.

Ik had het kunnen weten. Otto stond met zijn rug naar me toe. Ik vloog op hem af en pakte hem bij zijn kraag.

'Hebben jullie mot?' vroeg Sneyers. En dan, gretig: 'Mag ik meedoen?'

Voor ik Otto een mep kon verkopen, ging de deur open. Snel liet ik Otto weer los. Ik had geen zin om me nog meer problemen op de hals te halen.

'Is er iets aan de hand?' vroeg juf Klaar.

Niemand ging erop in. In de klas werd niet geklikt. En bovendien dachten de meesten dat het gewoon een onnozele grap

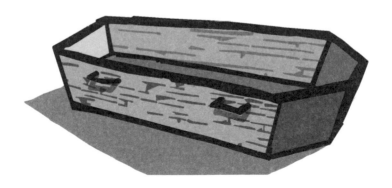

was tussen Otto en mij. Alleen Naïma niet. Ze staarde me zo lang aan dat ik er ongemakkelijk van werd.

De lummelles kon niet snel genoeg afgelopen zijn.

'Wat zijn jullie plannen dit weekend?' vroeg juf terwijl we opruimden.

Brittany vertelde opgewonden over de playbackshow waaraan ze meedeed. Zoals ze het uitsprak, klonk het als pleebak. Ik begreep niet wat ik ooit in Brittany had gezien. Anton vertelde over zijn citytrip naar Londen. Juf Klaar was enthousiast en vroeg Anton om foto's te nemen voor in de klas. Sneyers had een familiefeest en pochte dat hij met zijn ooms op café mocht. Otto nam deel aan een voetbaltoernooi. Ik hoorde Naïma zachtjes tegen haar buurmeisje zeggen dat ze met haar moeder uit winkelen ging. Juf Klaar wilde dit weekend de jungle van haar vriend uitmesten.

En ik, ik had niks.

Alleen een eindeloos weekend zonder vrienden.

11

Die vrijdagavond fietste ik door de wijk. De koude regen sloeg in mijn gezicht. Voorbijrijdende auto's joegen de plassen tegen mijn broekspijpen. Mijn moeder had me nog snel om aardappelen gestuurd. En de enige reden waarom ik gehoorzaamde, was omdat ze er frieten van wilde maken.

De duisternis had zich in hoekjes en portieken verborgen. Terwijl iedereen voor de buis zat, met zijn vader naar de bioscoop was of lekker met het gezin uit eten ging, ploeterde ik eenzaam met een zak aardappelen op mijn bagagedrager door de gietende regen. In de huizen brandde licht, er werd gelachen omdat de vader waarschijnlijk een goede mop verteld had had verteld. Ook in Antons huis brandde licht.

Ik gooide mijn remmen toe.

Anton zat met zijn vader en moeder in Londen. Hij had het tot vervelens toe herhaald tijdens de lummelles. Direct na schooltijd zouden ze vertrekken. Ik keek naar boven. Er brandde licht in een van de kamers. Door de gordijnen heen bewoog een schim.

Inbrekers, dacht ik. Mijn moeder had enkele dagen geleden verteld over een inbraakplaag in de buurt. Ik tastte in mijn jaszak. Mijn mobieltje lag thuis.

De schaduw bewoog zich weer. Snel zette ik mijn fiets tegen het muurtje van de buren, zodat de schim me niet in het oog kreeg. Misschien kon ik bij de buren aanbellen? Dan konden die de politie waarschuwen voor de inbreker het hazenpad koos. Ik begon te twijfelen. Anton had geen broers of zussen. Maar misschien hadden zijn ouders iemand gevraagd om op het huis te passen. Dan zou het gek zijn om de politie eropaf te sturen. Mijn moeder zou er niet om kunnen lachen.

Ik besloot achterom te lopen. Als ik iets verdachts zag, een gebroken raam, een open deur of een bak inbrekersspullen, zou ik bij de buren aanbellen. De regen gutste over mijn gezicht terwijl ik over het hekje kroop. Ik liep langszij en kwam bij de achterdeur. Er was weinig licht. De struiken van de grote tuin lagen als donkere gevaartes op de loer. Met de ramen was niks aan de hand.

Maar de achterdeur stond op een kier.

De haartjes op mijn arm kwamen overeind. Ik moest zo snel mogelijk naar de buren voor dat gevaarlijke individu naar beneden kwam. Mijn hart klopte in mijn keel. Ik snelde langs de andere kant van het huis – de kortste weg – terug naar de straat. Ineens werd mijn linkerbeen afgesneden door een touw dat tussen twee bomen gespannen was. De duisternis had het onzichtbaar gemaakt. Met een luide schreeuw raakte ik de grond. Mijn hoofd knalde tegen een boom. Het duizelde voor mijn ogen. Waarschijnlijk was ik een paar tellen van de wereld. Toen ik mijn ogen opendeed, scheen het felle licht van een zaklamp in mijn gezicht.

'Ik heb niks gezien. Laat me alsjeblieft gaan', stotterde ik.

Onder de voeten van de schaduw kraakten enkele takjes.

'Harm?'

Het was de stem van Anton. Hij stond voor mij met een zaklamp en een reusachtige baseballknuppel in zijn andere hand.

'Je moest in Londen zijn!' zei ik. 'Ik dacht dat er inbrekers waren.'

Anton bleef even stil.

'Mijn ouders besloten op het laatste nippertje om er een uitje met zijn tweeën van te maken', zei hij. 'En de oppas komt pas over een uurtje.'

'Haal dat licht uit mijn ogen', zei ik boos.

'Sorry', zei Anton. En toen trots: 'Ik heb me beveiligd tegen inbrekers.'

'Dat heb ik gemerkt', zei ik. Voorzichtig voelde ik aan de buil op mijn hoofd.

Ik stond recht. De grond zwalpte lichtjes onder mijn voeten.

'Waarom laat je de achterdeur open?' vroeg ik.

'Einstein komt nog', antwoordde Anton.

Ik schrok. Anton had ze duidelijk niet alle vijf op een rijtje. Einstein was een geleerde kwibus die al lang gestorven was. Dat had Anton ons zelf verteld.

Anton keek me aan. 'Einstein is mijn kat.'

'Ach, zo.'

Het was minder hard gaan regenen.

'Kom je binnen?' vroeg Anton.

'Daar heb ik geen tijd voor.'

'Ik heb de nieuwste games.'

'Zelfs Startfighter Negen?'

'Tien', zei Anton.

Antons kamer was een cyberparadijs. Hij had twee computers (voor het geval er een stukging), een webcam, meer dan honderd games en een leren stoel waar je eeuwig in wilde zitten spelen. Ik had de rekening voor mijn valpartij ruimschoots vereffend door Antons ruimteschip op te blazen. Ondertussen schurkte Einstein zich tegen mijn benen aan. Anton vroeg of ik nog een spelletje wilde spelen.

'Ik moet naar huis', antwoordde ik.

'Jammer', zei Anton. 'Het is leuk om tegen iemand te spelen.'

'Speelt je vader dan nooit?'

Anton schudde zijn hoofd. Hij leek een eenzame koning in een reusachtig cyberpaleis.

'En die van jou?' vroeg Anton.

Ik verstarde.

'Die man in de bieb', zei Anton. 'Je leek zo ontzettend sterk op hem.'

De buil op mijn voorhoofd deed pijn.

'Dat was een verre oom', zei ik. 'Een heel verre oom. Mijn vader is dood.'

'Sorry, dat was ik vergeten', zei Anton snel.

Ik fietste door de avond naar huis en meed de schaduwen die overal uit het niets opdoken.

12

'Wist je dat lintwormen tot tien meter lang kunnen worden?'
vroeg Anton die woensdagmiddag net voor ik in mijn dubbele
hamburger wilde bijten.

We zaten samen op een muurtje vlak bij de hamburgertent.
Zo meteen startte de toneelrepetitie. Juf Klaar had ons allemaal
gevraagd om aanwezig te zijn. Mijn moeder had me geld gegeven voor een cola en een hamburger (die er dankzij Anton
elke minuut minder smakelijk begon uit te zien).

Ik nam een slok cola en gooide het restje van de hamburger
in de vuilnisbak.

'Wat een verspilling', zei Anton afkeurend.

We slenterden richting school. Geen van beiden hadden we
het de voorbije dagen over het weekend gehad. Mijn moeder
was boos geweest toen ik vrijdagavond veel te laat was opgedoken. Daarna had ze het goedgemaakt met een enorm bord
frieten. Het weekend was tergend traag voorbij gekropen.

Maandag had Anton me bij het fietsenrek opgewacht met zijn splinternieuwe racefiets.

'Van nu af aan fiets ik naar school', vertelde hij. Dinsdag had hij me weer staan opwachten, net als vanochtend. Elke morgen begon met een portie Anton. Ik had hem gisteren verteld dat Otto en ik ruzie hadden. Anton had niet verder gevraagd. We liepen de school binnen. Sneyers kwam hoestend de toiletten uit. De geur van sigaretten hing nog in zijn kleren. Juf Klaar merkte er niets van. Het toneelstuk slorpte al haar aandacht op. Deze keer repeteerden we voor het eerst met onze toneelkleren aan. Dat had nogal wat voeten in de aarde. Brittany vond haar oorbellen niet. Sneyers scheurde zijn doodgraversbroek (die was van de opa van juf Klaar, dus daar kon ze niet om lachen). En Otto weigerde om een hoed op te zetten.

'Dan ziet niemand mijn gezicht', beweerde hij. Nadat Brittany's oorbellen gevonden waren, Sneyers' broek voorlopig genaaid werd en Otto erin toestemde om zijn hoed schuin op te zetten, konden we er eindelijk aan beginnen.

Alles liep in het honderd. Brittany vergat voortdurend haar tekst. Juf Klaar werd boos. Dat is hoogst uitzonderlijk, even uitzonderlijk als Sneyers die een halfuur zijn mond houdt.

'Ik heb dit weekend niet kunnen oefenen', snikte Brittany. 'Dat kwam door die pleebakshow.'

Ze begon pas echt hartverscheurend te huilen toen Sneyers iedereen meedeelde dat Brittany voorlaatste geëindigd was. Net voor Michael Jackson.

Juf liet Anton de teksten van Brittany lezen. Brittany volgde snikkend mee in de coulissen.

Otto was de tweede die voor problemen zorgde. Het begon toen Anton hem een zin influisterde.

'Ik was er zelf wel opgekomen', zei Otto boos.

'Maar dat is juist mijn taak', verweerde Anton zich.

En toen moest juf Klaar zich in de discussie mengen. Want Anton was er zeker van dat Otto gezegd had: Ik luister niet naar *die klungel van een Anton*. Otto beweerde dat hij gezegd had: *die souffleur Anton*. Sneyers gooide ongewild olie op het vuur door te zeggen dat hij begrepen had *die pummel van een Anton*. Nadat juf dat brandje geblust had, racete Otto door zijn tekst. Op die manier wilde hij Anton geen schijn van kans geven. Otto was zo snel, dat hij al antwoordde voordat gifmengster Naïma haar vraag gesteld had. Ik hoorde alles aan vanuit de gesloten kist. Pas de volgende scène zou Sneyers mijn kist van het podium slepen.

De derde die juf Klaar per ongeluk aan de rand van een zenuwinzinking bracht, was ikzelf. Ik wilde Naïma op scène zien. Het was niet eerlijk dat iedereen haar kon zien, behalve ik, die de brute pech had om vermoord te zijn. Ik tilde het deksel van mijn kist voorzichtig op en piepte door een kier. Naïma was schitterend. Ze schudde haar lange zwarte haar, haar ogen leken vurige kooltjes in een lichtbruin gezicht. Het kriebelde in mijn buik. Maar dat fijne gevoel werd brutaal verstoord door Sneyers. Hij ging lompweg op de kist zitten, zodat mijn vingers verpletterd raakten onder het deksel. Ik schreeuwde het uit. Sneyers sprong recht.

'Hou je fikken in de kist!' zei hij boos. 'Vervelend lijk.'

Juf Klaar brak de repetitie vroeger af dan voorzien en we stommelden de kleedkamer binnen.

'Mijn portefeuille is weg!' riep Sneyers enkele tellen later in de kleedkamer. Hij had de opabroek van juf nog aan. Met een rood aangelopen hoofd haalde hij alles overhoop.

'Ik heb het ding hier neergelegd', zei hij.

'Dieven!' schrok Brittany. 'Ze hebben de voorbije week bij onze buren ingebroken.'

Antons blik kruiste die van mij. We lachten het lachje van vrienden die samen iets hadden meegemaakt. Otto had het gezien.

'Er is een bende aan het werk', zei iemand anders. 'Het stond in de krant.'

Sneyers maakte er een echt drama van. Het zakgeld dat hij van zijn ooms had gekregen zat in die portefeuille.

'Als ik die kerel vind...' gromde Sneyers gevaarlijk.

Ik slikte.

'Smerige dieven', zei Brittany. 'Ze moesten hun handen afhakken. Tsjak! Of hen voor eeuwig opsluiten.'

Ik kromp in elkaar. Het leek een echo van wat ik in mijn vorige school te horen had gekregen.

Niemand hoorde wat Naïma zei. Behalve ik.

'Eeuwig is wel heel erg lang', zei Naïma.

Terwijl iedereen elkaar aan het opjutten was over de dievenbende, zat ik stilletjes op de bank. De dreiging was nog nooit zo dichtbij geweest. Als de klas te weten kwam dat mijn vader vroeger geld ontvreemd had, zouden ze me allemaal tegelijk uitspuwen. Niemand hield van dieven. Of van kinderen van dieven.

Juf Klaar kwam de kleedkamer binnen. Ze was al een stuk rustiger.

'Gelukkig loopt niet alles fout', zei ze met een knipoog naar ons. Ze stak een stapel papier de lucht in.

'De affiches zijn schitterend', lachte ze.

Mijn gezicht stond breed uitgesmeerd over het blad. Dit waren geen affiches, het waren invitatiekaartjes voor mijn vader. Juf legde de stapel neer. Zwijgend luisterde ze naar onze verhalen over dievenbendes en Sneyers' gestolen portefeuille.

Juf gaf iedereen opdracht om de hele ruimte af te zoeken naar de portefeuille. Ze geloofde niet in dievenbendes. Tenminste niet in deze kleedkamer. De detective in Otto kwam weer naar boven. Hij speurde de grond af naar aanwijzingen. Alsof de dief zijn identiteitskaart zou hebben laten vallen.

De invitatiekaartjes voor mijn vader waren net naast een open verfpot neergelegd. De pot was daar blijven staan nadat we aan het decor hadden gewerkt. Die laksheid kwam me nu goed van pas. Ongemerkt schuifelde ik naar de open pot verf toe. Een snel duwtje en de hele oogst was naar de knoppen. Mijn voet schoof richting verfpot.

'Ik heb hem!' loeide Sneyers. 'En mijn geld zit er nog in!'

De portefeuille was onder de verwarming terechtgekomen. Met opzet, beweerde Sneyers. Niemand keek naar de verfpot. Een klein onopvallend duwtje...

'Kijk uit!' riep Anton terwijl hij mijn voet tegenhield. 'Daar staat een verfpot!'

Juf Klaar schrok zich een bult.

'Net op tijd', zuchtte ze. 'Wat een dag!'

Snel raapte ze de affiches op en legde ze in de grote kast van onze klas.

'Daar zijn ze tenminste veilig', lachte ze.

13

Zonder Anton in mijn kielzog fietste ik naar huis. Gewoonlijk reed hij zo dicht achter me aan dat we wel een tandem leken, maar vandaag was Anton nagebleven om juf te helpen met allerlei toneelklusjes. Behalve Einstein was er toch niemand thuis. Ik had geen zin om wie dan ook te helpen. Mijn vingers gloeiden nog na door Sneyers' verpletterende indruk.

Iemand stak me voorbij. Het was Otto.

'Ik wil hem terug', zei hij strak.

'Wat wil je terug?'

'Mijn spiegelkrant, oen', antwoordde Otto.

Ik zei dat ik hem morgen zou teruggeven. Otto bleef naast me rijden. Achter ons toeterde een ongeduldige automobilist.

'Je bent ineens wel heel dikke vrienden met Anton', ging Otto verder.

Ik zweeg.

'Hij heeft je vast omgekocht met zijn games', klonk het.

De automobilist toeterde een tweede keer. Ik boog voorover en zette een spurt in. Weg van Otto en zijn lastige vragen.

Ik zette mijn fiets in de kelder van het gebouw en nam de trap. Ik vond dat de lift te veel naar natte hond rook. Ergens tussen de eerste en de tweede verdieping hoorde ik mijn moeder praten. Als de deur van een appartement openstond, kon iedereen meegenieten van elkaars visite. Mijn moeder was in gesprek met een man. Ik kon niet verstaan waarover ze spraken, maar mijn moeder leek zich op te winden.

'Nee, Hugo, nee.'

Ik kende maar één man die Hugo heette.

Ik sloop zo dicht mogelijk naar boven en hield me schuil achter het muurtje van de trap.

'Je hebt beloofd dat je alleen contact met hem opneemt als hij het zelf wil.'

Mijn vader mompelde iets over zijn zoon eindelijk terugzien.

'Ik vind het echt geen goed idee', zei mijn moeder.

'Maar op die manier kan ik het goedmaken', zei mijn vader. 'De waarheid moet worden verteld. Ik wil me niet langer verschuilen, niet voor mezelf en niet voor Harm.'

Het bleef even stil.

'Het is nog te vroeg, Hugo.'

Ik hoorde mijn vader zuchten.

'Ik weet nog niet precies wanneer het doorgaat...'

'Harm is er niet klaar voor', onderbrak mijn moeder. 'En zeker niet op zijn school.'

Ik duikelde van schrik bijna de trap af. Het was zover. Mijn vader wilde komen kijken naar het toneelstuk. Daarom stond hij zich zo opdringerig aan te stellen voor de deur. Mijn moeder probeerde hem tevergeefs op andere ideeën te brengen.

'Ik doe het om alles te verwerken', zei mijn vader. 'Misschien helpt het Harm ook verder.'

'Ik denk dat het net andersom zal zijn.'

Beneden zette iemand de lift in werking.

Mijn moeder zuchtte.

'Je weet dat ik je niet kan tegenhouden, Hugo.'

Dat klonk ook niet bemoedigend. De lift kwam naar boven, een vrouw met twee gevulde boodschappentassen stapte uit. Ze zag me niet.

'Ik zal er eens over nadenken', beloofde mijn vader.

Dat zei hij vast om mijn moeder te sussen. Daarna zou hij toch zijn zin doen. Hij zou opduiken op de toneelvoorstelling en hij zou iedereen vertellen wie hij was. En de volgende dag zou Brittany de klas valse liedjes voorzingen over smerige dieven. Anton zou zijn videospelletjes voortaan delen met Otto. Ik zou nooit Startfighter Elf spelen en Sneyers zou me een dreun verkopen telkens als zijn portefeuille zoek was.

Mijn moeder kon mijn vader niet tegenhouden, zei ze.

Ik moest het dus in mijn eentje doen.

Mijn moeder fluisterde gejaagd dat ik elk moment kon thuiskomen en dat mijn vader beter weg kon gaan. Mijn vader mompelde nog iets onverstaanbaars. De deur werd gesloten. Ik nam mijn rugzak en snelde de trap af. Diep in de donkere gang van de eerste verdieping bleef ik wachten tot de voetstappen van mijn vader verdwenen waren.

Ik dacht na.

Mijn vader wist niet wanneer de toneelvoorstelling precies doorging. Dat had ik hem zopas horen zeggen. De opvoering was al over twee weken. Mijn moeder zou het hem niet aan de neus hangen. Ik moest ervoor zorgen dat hij de datum nooit te weten kwam.

De oplossing was eenvoudig.

De snertaffiches moesten vernietigd worden.

14

's Morgens vertelde ik mijn moeder dat ik na schooltijd zou nablijven om juf te helpen. Mijn moeder had haar wenkbrauwen gefronst.

'Als je toch in een hulpvaardige bui bent,' had ze daarna gezegd, 'neem er dan meteen die afwas bij.' De hele dag piekerde ik over een manier om de affiches om zeep te helpen. Dat leverde me enkele opmerkingen op van juf Klaar, kelderde mijn rekenproef en deed Sneyers boos fluisteren dat ik een nerd was omdat ik zijn afgeschoten papierpropjes niet terugmikte. Na de middag kreeg mijn plan geleidelijk aan vorm.

Dit werd het allemaal niet:
- een vuurtje stoken (de hele school kon in de fik gaan)
- de hele zwik uit het raam gooien (we zaten op het gelijkvloers)
- honderd affiches in mijn rugzak proppen (dat lukte nooit)
- mij laten insluiten, de affiches in duizend stukjes versnipperen (maar hoe raakte ik dan weer buiten?)
- de affiches ergens verstoppen (onze school was zo klein dat er weinig te verstoppen viel)

Dit werd het wel:
Ik zag de krantenkoppen voor me. *Vandaal vernietigt toneelaffiches.*

Eerst moest ik de aandacht afleiden. Samen met de andere hulpvaardige nablijvers onder wie Naïma, Anton en helaas ook Otto, zaten we in de eetzaal. We waren doeken aan het schilderen om in het toneelkasteel op te hangen. Een vriend van juf (niet die van de jungle) zou er dan dikke gouden kaders omheen timmeren.

'Herinner je je nog de vandaal?' vroeg ik luid aan Anton.

Anton keek me niet-begrijpend aan. Nochtans zou uitgerekend hij het zich goed moeten herinneren. Vorig jaar had iemand op de splinternieuwe toiletdeuren gekrast: *Jou moeder is een dikke HEKS*. Toevallig waren Anton en ik de eersten die het zagen. Anton had er niet beter op gevonden dan een balpen uit zijn zak te halen en een *w* aan de *jou* toe te voegen. Net dan werd hij door een leraar betrapt. 'Het was sterker dan mezelf', had Anton wanhopig uitgelegd aan de directrice. 'Ik wilde alleen maar die fout verbeteren. Met de rest heb ik niks te maken.' Uiteindelijk geloofden ze hem. Antons lijst van misdaden op school was zo leeg als mijn spaarvarken. Bovendien bevestigde ik wat hij zei. Anton kwam ervan af met een berisping. Niemand heeft ooit kunnen uitpluizen wie de dikke heks op de deuren heeft gekrast. Anton liep me voortdurend tevergeefs dankbaar achterna. Hij zei de hele tijd dat hij een zwaar vermoeden had. 'Het is iemand die niet goed kan spellen', fluisterde hij. Otto had geantwoord dat de halve klas niet kon spellen, hemzelf inbegrepen. Maar Anton had verdacht naar Sneyers geloensd. Ik negeerde Anton en lachte met Otto's allernieuwste mop. Ik bleef Anton negeren tot hij uiteindelijk weer zijn plekje vond. Vastgeplakt tegen het muurtje, verborgen in de schaduw van de enige boom op het plein.

Maar nu had ik hem nodig.

'De dikke heks?' vroeg Anton terwijl hij met zijn ogen knipperde.

'De directrice maakte daar nogal een toestand van', zei iemand.

Iedereen begon door elkaar te praten. Er waren valse beschuldigingen heen en weer geslingerd tussen enkele derdeen vierdeklassers en op het pleintje was een kleine knokpartij op de valreep vermeden. Daarna was de rust teruggekeerd. Iedereen had er zich bij neergelegd dat de vandaal onbekend zou blijven.

'Tsjonge, tsjonge', deed ik heel erg luid. 'Wanneer zou die kerel weer toeslaan?'

Naïma kwam naast me staan.

'Wie zegt dat het een kerel is?' vroeg ze zacht.

Het is eng om in te breken.

Dat weet ik omdat ik me in het lokaal bevond en vurig hoopte dat niemand me zou betrappen. Sommige jongens en meisjes waren al naar huis. Juf legde de laatste hand aan de schilderijen. In een onbewaakt moment was ik naar de klas geslopen. Hier stond ik nu. Het vertrouwde lokaal leek vreemd en vijandig. Elk geluid was er een te veel. Kraakte daar iets? Liep er iemand door de gang? Ik kon nog terug.

Dat maakte ik mezelf wijs, want ik had geen keuze. Mijn benen voelden als slappe was. De zweetdruppels prikten in mijn nek en mijn wangen gloeiden. Ik sloop naar de kast waarin de affiches lagen. Bijna struikelde ik over Otto's rugzak. Vanmorgen had ik de detective zijn spiegelkrant teruggegeven. Hij had hem weggestopt zonder iets te zeggen. De spiegel stak uit zijn rugzak. Ik mocht er niet aan denken dat Otto de klas binnenviel terwijl ik de affiches aan het verscheuren was.

De eerste affiche was de moeilijkste. Ik kreeg een krop in mijn keel terwijl ik mijn eigen gezicht aan flarden scheurde. Dood van een baron. Juf Klaar was zo trots geweest op haar affiches. Maar daarna ging het makkelijker. Roetsj. Weer een invitatiekaartje minder. Ik raakte er heel bedreven in. Roetsj. Roetsj. Roetsj. Na een paar minuten werd het haast prettig. De grote stapel was bijna naar de vaantjes. Nog een stuk of tien exemplaren. Ik hoorde stemmen naderen in de gang. De laatste affiches nam ik allemaal samen en in één beweging scheurde ik het pakje doormidden. De bundel gooide ik in de kast. Kast dicht. Gelukt.

Toen zag ik iets bewegen in Otto's spiegelkrant. Traag draaide ik me om.

Naïma keek me zwijgend aan.

Ik had er geen idee van hoe lang zij daar al stond.

15

Ze stonden allemaal op een kluitje bij elkaar. Eerst was Otto binnengevallen.

'Waar is mijn rugzak?'

Daarna was Anton gekomen, op zoek naar mij.

'Waarom kijken jullie zo?'

Tenslotte was juf opgedoken.

'Kan iemand mij zeggen wat hier aan de hand is?'

Iedereen volgde het voorbeeld van Naïma en staarde me aan. Ik kreeg het warm. Alsof het nog niet erg genoeg was, ging de kastdeur piepend open. In mijn haast had ik de hendel van de ijzeren kast niet goed gesloten. Enkele gescheurde affiches gleden eruit.

Ik slikte en kon geen vin verroeren. Niemand zei een woord. Juf Klaar ging naar de kast en trok de deuren helemaal open. Ik wilde dat ik op een knopje kon duwen waardoor ik ineens wegfloepte. Juf was geschokt toen ze de rest van de affiches vond. Anton schrok zich een ongeluk. En Otto was in alle staten.

'Welke ploert heeft dat gedaan?' riep Otto.

Ik deed een laatste poging om mij eruit te redden.

'Het is die vandaal', zei ik met schorre stem. 'Ik wist dat die vroeg of laat weer zou opduiken.'

Naïma had nog altijd niets gezegd.

'Weet jij hier meer over, Harm?' vroeg juf Klaar onthutst.

Diep verontwaardigd schudde ik mijn hoofd.

Er viel een stilte.

'Vertel het nu maar, Harm', zei Naïma. Het klonk niet eens boos.

Mijn mond ging open en weer dicht.

'Ik wacht', zei Otto ongeduldig, met zijn armen over elkaar gekruist. De detective in hem had duidelijk weer de bovenhand gekregen.

Ik wilde dat ze ophielden met naar me te staren. Anton keek me aan alsof Einstein net door een tientonner was overreden.

'Het is... ik wilde...' begon ik.

En toen rende ik de klas uit.

Juf vond me even later terug bij de fietsenstalling.

'Je kunt niet zomaar wegrijden, Harm', zei ze.

Ik zweeg.

'Je bent ons op zijn minst een woordje uitleg verschuldigd.'

Ik zat al op mijn fiets.

'Als ik jullie vertel waarom ik het deed, kan ik net zo goed meteen van school veranderen.'

Juf hield me tegen.

'Wat maakt dat je daar zo zeker van bent?'

Even aarzelde ik, maar toen vertelde ik haar alles. Over mijn vader die niet dood was. En over het cowboypak.

'Hoe is het mogelijk?' zei juf.

'Ik weet het,' fluisterde ik, 'ik had die affiches nooit...'

'Nee', onderbrak juf me. 'Hoe is het mogelijk dat je mij dat nooit eerder hebt verteld?'

Iedereen hielp om de gescheurde affiches in de papiercontainer te gooien. Juf had hen verteld waarom ik het had gedaan. Ze waren er allemaal stil van geworden. Alleen Otto had geroepen: 'Dus het was geen kinderlokker!' Met een grote zwaai dumpten we de affiches in de container.

'Opruimen van het bewijsmateriaal', zei Otto.

In de druilerige regen, tussen de stinkende vuilnisbakken en de volgepropte papiercontainer zwoeren we geheimhouding. Juf Klaar, Naïma, Otto, Anton en ik.

'We zwijgen over wat hier vandaag is gebeurd en we reppen tegen de anderen met geen woord over je vader', beloofde juf Klaar. 'Tenzij je er zelf iets over wilt vertellen, Harm.'

'Ik kan goed zwijgen', zei Naïma.

'Wij laten je niet vallen', zei Anton ferm. 'Nooit.'

'Nooit', herhaalde Otto terwijl de regen langs zijn kin naar beneden drupte.

Hoe vriendelijker Naïma naar me lachte, hoe schuldiger ik me voelde omwille van de ravage die ik had aangericht.

'Hoe moet het nu met de affiches?' vroeg ik benepen.

Juf beet op haar bovenlip.

'Ik zal iets moeten verzinnen om een nieuw budget los te peuteren bij de directie', zei juf Klaar. 'Die affiches waren niet goedkoop.'

'Mijn ouders zullen die nieuwe affiches wel sponsoren', zei Anton.

'Betalen zij zomaar honderd affiches uit eigen zak?' vroeg Otto ongelovig.

Anton haalde zijn schouders op.

'Hun reisbureau sponsort twee voetbalploegen en een wielerploeg voor dames', antwoordde Anton. 'Dan kunnen honderd affiches van het schooltoneel er ook nog wel bij.'

'Ik neem vanavond contact met hen op', zei juf.

'Ze willen wel hun logo op de affiche', haastte Anton zich te zeggen.

'Er is plaats genoeg', antwoordde juf.

Anton was snel naar huis gefietst omdat Einstein al zo lang zonder eten zat. Ik stond met Otto bij de fietsenrekken. Hij probeerde zijn spiegelkrant tevergeefs in zijn boekentas te proppen.

'Jouw krant was een briljant idee, net zoals je andere ideeën', zei ik. 'En je bent helemaal niet geflipt. Net zo min als je vader.'

Otto's gezicht klaarde op.

'Wil dat ook zeggen dat je mij een goede detective vindt?'

Ik knikte.

'En dat we voortaan weer samen fietsen?'

Ik knikte nog harder.

Samen met Otto reed ik door de gietende regen naar huis.

16

Mijn moeder had zich niet boos gemaakt over mijn vandalen-streek. Ze had aandachtig geluisterd naar wat juf haar vertelde. Toen het gesprek afgelopen was, had ze een paar keer gezegd: 'Ach, Harm.' Ik wist niet precies wat ze daarmee bedoelde. Het klonk net als die keer toen ik de thermometer te veel had opgewarmd. Ik wilde die dag niet naar school. In de lummelles werd een cadeau voor vaderdag gemaakt. Hoewel mijn thermometerbe-drog aan het licht gekomen was, mocht ik toen thuisblijven.

Mijn moeder had het over een misverstand tussen mijn vader en mij. Ze vond dat we dringend met elkaar moesten praten.

Enkele dagen later wandelde ik naar een bank in het stads-park. Hier was meer lucht dan in de kleine studio van mijn vader. Ik had mezelf nog net niet opgevreten van de zenuwen. Rond de vijver lagen eenden zalig onbezorgd te slapen in de herfstzon.

In de verte kwam een fietser aangereden. Sommige mensen, zoals Sneyers, vinden het leuk om te fietsen waar het niet mag. Sneyers was de laatste die ik nu wilde zien. En of dat nog niet erg genoeg was, bungelden de benen van Brittany achter hem aan. Ik boog me dubbel en deed of ik iets zocht onder de bank, in de hoop dat ze mij voorbijfietsten.

Met piepende remmen hield Sneyers halt. Brittany klemde zich aan hem vast alsof ze bang was dat ze elk moment van de fiets kon donderen.

'Ben je iets kwijt?' vroeg Sneyers.

'Zijn verstand', zei Brittany.

Daar moesten ze geweldig om lachen.

'Het is net aan tussen ons', glunderde Sneyers.

Brittany giechelde achter zijn rug.

'Fijn', zei ik. Mijn vader kwam het stadspark binnen. Hij had een lange grijze jas aan en liep minder gebogen dan de vorige keer. Ik had slechts een paar honderd meter de tijd om het verliefde stel af te schudden.

'Komen jullie niet ergens te laat?' informeerde ik.

'Te laat?' vroeg Sneyers. 'Ik kom nooit te laat. De anderen beginnen altijd te vroeg.'

Hij bulderde en Brittany lachte mee.

Mijn vader had me gezien. Eerst ging hij sneller lopen. Toen weer trager.

'We zijn ermee weg', zei Sneyers. 'Doei!'

Met een hand wuifde Brittany naar me, met de andere hand kneep ze Sneyers haast fijn.

Ze reden het park uit.

Mijn vader bleef vlak voor de bank staan, alsof hij aarzelde om naast me te komen zitten. Ik gebaarde dat het mocht.

Zijn knieën kraakten toen hij ging zitten.

Een hele tijd zeiden we niks. Enkele eenden kwaakten luidruchtig naar elkaar.

'Je moeder heeft me alles verteld', begon mijn vader. 'Over de affiches en zo.'

Zijn vingers friemelden aan een onzichtbaar doekje.

'Ik was nooit van plan om ongevraagd naar de toneelvoorstelling te komen.'

Met een ruk keek ik hem aan. 'Maar ik heb jullie gehoord, een paar dagen geleden op de gang! Je zou naar school komen.'

Mijn vader schudde zachtjes zijn hoofd.

'Dat ging niet over het toneel', zei hij.

Mijn vader vertelde dat hij meewerkte aan een project. Dat project ving mensen op die uit de gevangenis kwamen. Ze organiseerden lezingen in scholen. De ex-gevangenen vertelden de kinderen hun verhaal, over wat het betekent om opgesloten te worden. Niet alleen voor henzelf, maar ook voor hun familie.

'Op die manier wilde ik je helpen, Harm. Ik weet dat je het niet makkelijk hebt gehad. Ik wilde in je klas komen vertellen hoe erg dat allemaal is. Zonder te verraden dat ik je vader was.'

Mijn vader bewoog ongemakkelijk.

'Maar je moeder vond dat geen goed idee. Jij was er niet klaar voor. En ze zouden het meteen doorhebben.'

Ik wachtte even voor ik het zei.

'Wij lijken te sterk op elkaar.'

Mijn vader glimlachte.

We liepen op het pad rond de vijver. Midden op het bruggetje bleven we staan. We leunden over de reling. Onze spiegelbeelden lagen als een rimpelige foto op het water.

'In de gevangenis las ik een verhaal', begon mijn vader. 'Het ging over een man die in een land woonde waar ze heel streng waren voor dieven. Wie betrapt werd, hakten ze de handen af.

Op een dag kwam de jongeman bijna om van de honger en hij stal een brood. Ze betrapten hem, maar hij kon ontsnappen. De jongeman vluchtte zijn land uit en kwam hierheen. Het lukte hem om te blijven. Hij studeerde en werd een heel goede hartchirurg. Duizenden mensenlevens heeft hij al gered.'

Mijn vader wachtte even voor hij verderging.

'Weet je hoe ze hem hier noemen?'

Ik schudde mijn hoofd.

'De man met de gouden handen.'

'Is het echt gebeurd?'

Mijn vader keek naar het water.

'Voor mij wel', zei hij.

Verderop gooide iemand brood in het water. Luid snaterend vochten de eenden om hun brokje.

Ik zweeg.

'Misschien kunnen wij samen eens iets leuks doen?'

Hij zag dat ik schrok. De zon verdween achter de wolken.

'Alleen als jij het wil, Harm', zei mijn vader snel.

Ik beloofde mijn vader om erover na te denken.

'Ik wilde dat geld echt teruggeven', zei hij. 'Maar ik kon geen kant meer uit.'

'Die mensen vertrouwden je', zei ik zachtjes. 'Net als ik.'

Mijn vader boog zich over de reling. Hij legde zijn hoofd in zijn handen. De zon kwam achter de wolken vandaan.

Even, heel even, leken zijn handen van goud.

17

'Wat doet die grote knikker op de affiche?' vroeg Sneyers een week later tijdens de generale repetitie.

'Dat is een wereldbol, het logo van het reisbureau', zei ik.

'Hadden ze beter op de tronie van de baron geplakt', lachte Sneyers.

'Flauw, Sneyers', zei Otto. 'Heel flauw.'

Sneyers keek verwonderd naar Otto en toen naar mij.

'Hebben jullie geen mot meer?'

'Nee', klonk het uit drie monden tegelijk. Anton was erbij komen staan.

'Jammer', zei Sneyers en hij hees zich in de opabroek.

Juf Klaar vertelde opgewekt dat bijna alle kaarten de deur uit waren.

'Wie nog kaarten wil, moet er als de kippen bij zijn', zei ze.

Bij ons thuis stond er op het aanrecht slechts één kaart. Ik had de voorbije dagen veel gepiekerd. Het ging niet om een plek voor een toneelvoorstelling. Het ging erom of ik mijn vader opnieuw in mijn leven binnenliet of niet. En dat was heel moeilijk.

Ik had mijn baronpak aan. Het was heel deftig. Ik leek meteen klaar voor mijn eigen begrafenis. Naïma kwam langs. Haar rok ruiste, haar ogen waren nog nooit zo groot geweest en haar lippen glansden. Als Naïma een ster was, dan was ik het zwarte gat.

Otto kwam opgewonden naast me staan. Hij had een kaart in zijn hand.

'Hij komt, hij komt!'

Het duurde enkele tellen vooraleer ik snapte dat hij het over zijn vader had. Voor het eerst in jaren kwam Otto's vader weer buiten.

'Dat doet ie speciaal voor mij', straalde Otto. 'Hij is al naar de kapper geweest. En hij heeft zijn witte hemd uit de hoes gehaald.'

Otto stak het kaartje zorgvuldig weg, alsof het een winnend lot was.

Ik wilde dat ik blij kon zijn. Maar ergens prikte er iets.

'Mijn ouders komen niet', zei Anton.

Dat vonden Otto en ik heel sneu. Niemand was nog altijd minder dan één.

'Misschien kun je Einstein naar binnen smokkelen', probeerde Otto. En hij had meteen een plan klaar. Er was alleen een doos met gaatjes voor nodig.

Anton schudde zijn hoofd.

'Laat maar', zei hij en hij ging op de bank zitten. Zijn influisterteksten legde hij naast zich neer.

Nu pas viel het me op dat Anton de enige was die niet verkleed was. Iedereen droeg kleren die ritselden, ruisten, bijna scheurden, te kort of te lang waren of naar de mottenballen stonken. Iedereen, behalve Anton. Als souffleur had hij dezelfde plek als op het schoolplein. Onzichtbaar tegen de zijkant geplakt.

'Jullie kunnen na de voorstelling bij mij blijven logeren', zei ik tegen Otto en Anton.

Met een ruk hief Anton zijn hoofd op.

'Ik ook?' vroeg hij ongelovig.

Ik knikte.

'Fijn', zei Otto.

'Mijn moeder heeft er vast niks op tegen', ging ik verder. 'Het wordt wel stapelen, mijn kamer is nogal klein.'

'Gaaf', zei Anton tevreden. Hij nam zijn teksten op.

'Wil iedereen helpen zoeken?' loeide Sneyers.

De ketting van Brittany was stukgesprongen en de parels waren in alle hoeken van de kleedkamer gerold.

'Waarom moet mij dat weer overkomen?' riep Brittany.

'Het zou helpen als je niet steeds aan het ding zat te prutsen', zei ik.

Naïma begon zachtjes te lachen. Brittany draaide zich naar haar om. Haar ogen bliksemden. Ik hielp niet meezoeken, hoewel ik drie parels zag liggen. Ik keek naar Naïma. Ze glimlachte.

Juf Klaar kwam binnen.

Ze vond de resterende parels en beloofde de ketting te repareren. Op het podium nam iedereen zijn plaats in. Het was bijna echt. Ik had nog twee dagen de tijd.

Ruim een kwartier later kwam ik de kleedkamer binnen. Ik was ontsnapt uit het zenuwkluwen op het podium. En mijn rol was toch uitgespeeld. De leegte van de kleedkamer was rustgevend. Er hing nog een lichte geur van mottenballen.

In de verte hoorde ik gelach. Waarschijnlijk weer iemand die uit zijn rol was gevallen, tot wanhoop van juf Klaar.

Uit Otto's broekzak kwam een hoek van zijn kaartje. Ik trok het er helemaal uit en ging zitten. Mijn mobieltje duwde zwaar tegen mijn zijkant aan. Het nummer van mijn vader had ik opgeslagen, maar nog nooit gebruikt.

Als mijn vader kwam, zouden de anderen vragen stellen. Misschien zouden sommigen willen weten wie die man was die zo op mij leek. Het antwoord lag bij mij. Ik kon zwijgen, verre ooms laten opdraven of gewoon de waarheid vertellen. Maar wat ik ook deed, ik stond er niet alleen voor. Dat maakte alle verschil uit.

Ik stak Otto's kaartje zorgvuldig terug, raapte Antons sweater van de grond en nam mijn mobieltje.

Het duurde even voor hij opnam.

'Dag pa', zei ik. 'Ik moet je iets vragen.'

18

Eindelijk was het zover. De zaal liep al aardig vol. De familie van Sneyers was ruim op tijd en bezette de eerste twee rijen. De moeder van Naïma was er ook. Ze droeg een lange satijnen jurk met kleurrijke stiksels. Juf had ons verboden van achter het gordijn te piepen, maar ik stond op de uitkijk. Otto was de enige die er nog niet was. Hij zou samen met zijn vader komen, achterop de brommer. En hij was er nog altijd niet. Mijn ouders waren er evenmin.

Juf Klaar joeg me weer de kleedkamer in. De ruimte lag erbij alsof er net een kleine bom ontploft was.

'Kunnen jullie het echt niet netter houden, jongens?' begon Juf Klaar. Ze bukte zich om kledingstukken van de grond te plukken. Daarna hielp ze Sneyers om zijn bretellen vast te maken, deed Naïma's lange, zwarte haar in een dotje en bracht hier en daar wat grime aan. Voor mij had ze speciaal een doos lijkkleur meegebracht.

Ineens stormde Brittany naar buiten met haar hand voor haar mond.

'Wat heeft die?' vroeg Anton.

'Het zijn de zenuwen', zei Sneyers.

Even later kwam Brittany binnen, wapperend met een zakdoekje, alsof haar rol al begonnen was. Sneyers schoot op haar af om haar te troosten.

Eindelijk. Daar was Otto. Het leek alsof hij de hele doos lijkkleur over zich heen had gekregen, zo bleek was hij. Hij kwam op me af.

'Een ramp!' hijgde hij. 'Het is een ramp!'

Zijn vader had een te grote dosis stresspillen geslikt. Hij was bang geweest om weer onder de mensen te komen en hij had die angst willen wegnemen met pillen. Maar hij had er iets te veel van genomen.

'Hij begint zonder aanleiding hardop te lachen', zei Otto wanhopig.

Otto en ik liepen stiekem naar de coulissen en gluurden de zaal in. Daar zat Otto's vader. Als een brede lachende muur, tussen mijn vader en mijn moeder in.

'Het komt wel in orde', zei ik tegen Otto.

En het kwam in orde. De meeste dingen toch. Begrafenisondernemer Sneyers liet van pure stress de kist uit zijn handen vallen. Daardoor bonkte ik tegen de grond en riep ik luid 'auw!' Waarop Otto's vader begon te bulderen van het lachen. Hij kreeg de hele zaal mee. Ik kon het horen door de kist heen. Het volgende incident was Otto zelf. Net toen hij zichzelf had voorgesteld als de beste detective van het land, zijn hoed had afgenomen en diep vooroverboog voor gifmengster Naïma, fluisterde hij tussen zijn tanden: 'Ik ben mijn tekst kwijt.' Gelukkig was Anton daar. Zonder ook maar één blik op zijn papieren, fluisterde hij Otto de juiste regels in. De superdetective richtte zich weer op en ging verder met zijn onderzoek. Dankzij Anton had niemand in de zaal Otto's tijdelijke geheugenverlies opgemerkt. In het tweede deel donderde een opgehangen lijst ineens met een zware klap naar beneden. Brittany had enkele tellen daarvoor gezegd: 'Het spookt hier!' De zaal schrok zich een hoedje, net als Brittany en Naïma. Otto's vader was de enige die in een lachsalvo uitbarstte. Brittany was helemaal de kluts kwijt. Gelukkig loste Naïma het op. Alsof het wekenlang zo gerepeteerd was, maakte ze er zich met een kwinkslag vanaf en de scène liep weer verder.

Na het einde oogstten we een stormachtig applaus. De familie Sneyers stond als eerste recht voor een staande ovatie. Zijn ooms vonden het heel grappig om ons tot viermaal toe te laten terugkeren om te buigen. Juf Klaar kreeg een reusachtige ruiker bloemen. Wij juichten, floten en klapten zo hard in onze handen dat het pijn deed. Uit pure verlegenheid verborg juf haar rode gezicht helemaal achter de ruiker.

We kleedden ons om en liepen daarna de zaal in. De stoelen waren aan de kant geschoven voor de receptie. Mijn ouders zaten samen met Otto's vader aan een tafeltje. Anton, Otto en ik kwamen erbij zitten.

'Daar zijn de logeerbeesten', zei mijn moeder tegen mijn vader. Ze stelde Otto en Anton aan hem voor.

Otto's vader droogde met een smoezelige zakdoek de lachtranen op zijn gezicht.

'Dat was de beste komedie die ik ooit heb gezien, jongen', zei hij tegen Otto. 'Ik moet dringend eens meer buitenkomen.'

Hij stopte zijn zakdoek weg.

'Alleen vraag ik me af waar dat spiegeltje van mijn brommer naartoe is', mompelde hij.

Otto en ik deden er wijselijk het zwijgen toe. We dronken cola en aten meer chips dan goed voor ons was.

Ik liep naar de kleedkamer om mijn spullen te halen. In de gang zag ik Naïma en Brittany staan.

'Je hebt het wel voor me verpest', zei Brittany fel. 'Dat heb je met opzet gedaan.'

Naïma probeerde tevergeefs uit te leggen dat ze dat niet had gedaan.

Brittany kwam dichter. Geen van beiden had in de gaten dat ik daar stond.

'Weet je wat?' siste Brittany. 'Jouw moeder is een dikke heks.' Ze draaide zich om en liep weg.

'Hoe durft ze!?' riep ik uit. Ik was van plan om Brittany achterna te gaan.

'Laat maar', zei Naïma en haar ogen keken een beetje droevig. 'Het is niet de eerste keer.'

Naïma had al die tijd geweten wie op de toiletdeur had gekrast.

'Maar wel de laatste keer', zei ik ferm.

Zoals gewoonlijk zei Naïma niet veel. Maar haar vederlichte kus op mijn wang vertelde genoeg.

Ik zweefde toen ik terug naar de zaal ging. Mijn vader stond op en nam zijn jas.

'Ga je nu al?' vroeg ik.

Hij knikte.

'Hij komt zondag eten', zei mijn moeder. Ze keek me vragend aan.

Ik wachtte tot mijn vader zijn jas aanhad.

'Tot zondag', zei ik.

Hot Pepers